JN123495

# 和讃要義（上）

――浄土和讃・高僧和讃大意――

# 序

本学院では、過ぐる、第二十四代即如門主伝灯奉告法要、学院創立六十周年を記念して、講義テキストを刊行いたしました。

この中央仏教学院は、真宗・仏教をはじめとする現代の僧侶に必要な学業、行儀を習得し、人びとの期待にこたえうる人格を練成する僧侶養成の学校です。

混迷と不安の中に、真宗の宗教が求められている今日、学生諸君は、本学院に学ぶ意義の深さを自覚し、次代の宗門を荷いうる実力を涵養するよう努力されんことを切望いたします。

浄土真宗本願寺派

# はしがき

。第二十四世即如門主の伝灯奉告法要、併せて中央仏教学院創立六十周年の記念として、本テキストの作成が企てられた。

。中央仏教学院運営評議会の一部門として講本専門部会を設置し、三ヶ年継続事業として実施した。実施の概要は次の通りである。

| 年度 | 書名 | 執筆者 | 協力者 |
|---|---|---|---|
| 第一年度（昭和五十四年度） | 真宗要説 | 土井忠雄 | 灘本愛慈　中西智海 |
| | 仏教要説 | 北畠典生 | 山崎慶輝 |
| | 宗教要説 | 寺川幽芳 | 石田慶和 |
| | 和讃要義（上） | 加茂仰順 | 日野振作 |
| | 和讃要義（下） | 日野振作 | 加茂仰順 |

第二年度（昭和五十五年度）

| 科目 | 講師 | | |
|---|---|---|---|
| 三経要義 | 高橋隆真 | 土井忠雄 | |
| 七祖要義 | 稲城選恵 | 土井忠雄 | |
| 本典要義 | 灘本愛慈 | 土井忠雄 | |
| 各宗要義(上) | 山崎慶輝 | 小林実玄 | 北畠典生 |
| 各宗要義(下) | 小林実玄 | 山崎慶輝 | 北畠典生 |

第三年度（昭和五十六年度）

| 科目 | 講師 | | |
|---|---|---|---|
| インド・中国仏教史 | 野部了衆 | 北畠典生 | |
| 日本仏教史 | 堀　大慈 | 福間光超 | |
| 真　宗　史 | 福間光超 | 堀　大慈 | |
| 伝道要義 | 豊島学由 | 高橋隆真 | 森本覚修 |
| 同朋運動要説 | 森本覚修 | 岩本孝樹 | 仲尾孝誠 |

一、本書は、仏教学院における「和讃要義」の教科用として著わしたものである。

一、本書は、年間講義25週から30週までの講義用として編集したものである。

一、本書の内容は、各項目を一、本文、二、讃意、三、語釈、四、出拠、五、要義に分けて釈述する。

一、二首以上連記する和讃を通釈するに当っては、便宜上右肩に㈠㈡等の数字を附記して、その順序を示す。

一、本書は、講本専門部会並びに編集委員会の議を経て、加茂仰順講師がこれを執筆し、日野振作講師がこれに協力した。

昭和五十五年三月

# 和讃要義（上）

## ――浄土和讃大意――

目次

―高僧和讃大意―

## 第三章　曇鸞讃

# 第一章　三帖和讃概要

## 一、題号の意義

和讃とは和語によって讃嘆するということで、浄土和讃とは往生浄土の法門を和語に依って讃嘆することである。殊に浄土とは聖道に簡ぶ語で、聖道の此土入聖の法門に対して、往生浄土門、即ち彼土得証の弥陀他力の法門である。

浄土の語は、後の高僧・正像末の二帖にも通ずるもので、御草稿本には浄土高僧和讃とあり、現流本の第三帖の内題には正像末浄土和讃とある。浄土高僧和讃とは、往生浄土の法門を相承される高僧のあらわしたもうおてがらを和語で讃嘆することであり、正像末浄土和讃は、正像末の三時にわたって衰変のない浄土の法門を和語で讃ずる意味である。しかるに多くは第一帖のみを浄土和讃というのは、第一帖は浄土の法門を讃嘆することが主になっているからである。

# 二、三帖和讃内容の意義

## ㈠　三帖和讃を頂くについて

三帖和讃とは宗祖親鸞聖人の著述であって、浄土和讃、高僧和讃、正像末和讃の三帖をいうのである。これらの和讃は、わが真宗におけるすべてのもの、老いも若きもへだてなく、朝夕口にするところであって、ほとんど暗誦する位のものであるが、その文意に至っては、随分解釈しがたいところもある。ここでは順次平易に述べて、祖意を明らかにして、如来の恩に報い、宗祖の恩を謝せんとするのである。

## ㈡　三帖和讃の書誌学上の意義

『三帖和讃』の本文は何れに依ればよいか、それを定め難いのであるが、今は便宜上諸本校訂して成れる『真宗聖教全書㈡宗祖部』に依って、その内容の組織をみてゆくことにする。

まず、浄土和讃は宗祖が依拠される経と論とに依って、浄土真宗の法義を讃仰されたものである。初めに二首の無題の和讃があり、次に曇鸞の讃阿弥陀仏偈に依って総括的に阿弥陀仏とその浄土を讃嘆された『讃阿弥陀仏偈和讃』四十八首。次に『大経』『観経』『阿弥陀経』の要旨をまとめて弥陀の悲願を讃した『三経和讃』三十六首。次に「諸経のこころによりて」と題して、法華経、称讃浄土経、目連所聞経、涅槃経、華厳経、等に依って、弥陀の本願が仏教のおこころであることを明らかにし、讃嘆された『諸経和讃』九首。次に弥陀の名号の現世においての利益を讃じた『現世利益和讃』十五首がある。これは主として金光明経に依るものであり、その点は『諸経和讃』と通ずる性質のものである。書誌学の上からみて、巻頭の無題の二首を除いて『讃阿弥陀仏偈和讃』から『現世利益和讃』までの百八首は、宝治二年以前に製作されたものであり、宗祖はこの百八首を『弥陀和讃』と称していられたことが知られる。また、弥陀の脇侍勢至を『首楞厳経』によって作られた『大勢至和讃』八首がある。この八首は内容からみて諸経和讃に入るものである。

浄土和讃が弥陀とその浄土を讃ぜられたのに対して、高僧和讃は真宗の法義の伝統を明らかにし、それによって弥陀の本願を讃ぜられたものである。つまり宗祖は、印度、中国、日本の三国に渉って、龍樹、天親、曇鸞、道綽、善導、源信、源空の七人を、特に真宗の相承者としていただかれたのであるが、この七高僧の一々について、その教説、その信心を、その著作に依って讃じたものが高僧和讃である。けだし、龍樹和讃から源空和讃までの和讃の数及び順序は、宗祖部の底本とされる文明本と宝治二年の真筆本とは一致している。

高僧和讃は宝治二年脱稿後、あまり添削はなかったようである。巻末無題の二首は真筆本には無い。正像末和讃は、正像末の三時には仏教の興廃があるが、末法においても弥陀法のみが救いをあらわすことを讃じたものである。はじめに康元二年二月九日夜の夢告の一首が掲げられ、次に末法の時機に相応した弥陀の本願を述べた五十八首がある。つまり狭い意ではこの五十八首であるが、次に弥陀の本願を疑うことはいけないと二十三首の誡疑讃がある。そして聖徳太子讃十一首、愚禿悲歎述懐と題して十六首があり、善光寺讃五首と、法語（自然法爾章）が一節ある。

以上を図で示すと次の如くである。

- 浄土和讃
  - 弥陀和讃
    - 讃阿弥陀仏偈和讃……四十八首
    - 三経和讃
      - 大経讃…二十二首
      - 観経讃………九首
      - 小経讃………五首
      - （讃阿弥陀仏偈和讃・三経和讃）─正依の経論に依る
  - 無題の和讃……………………二首

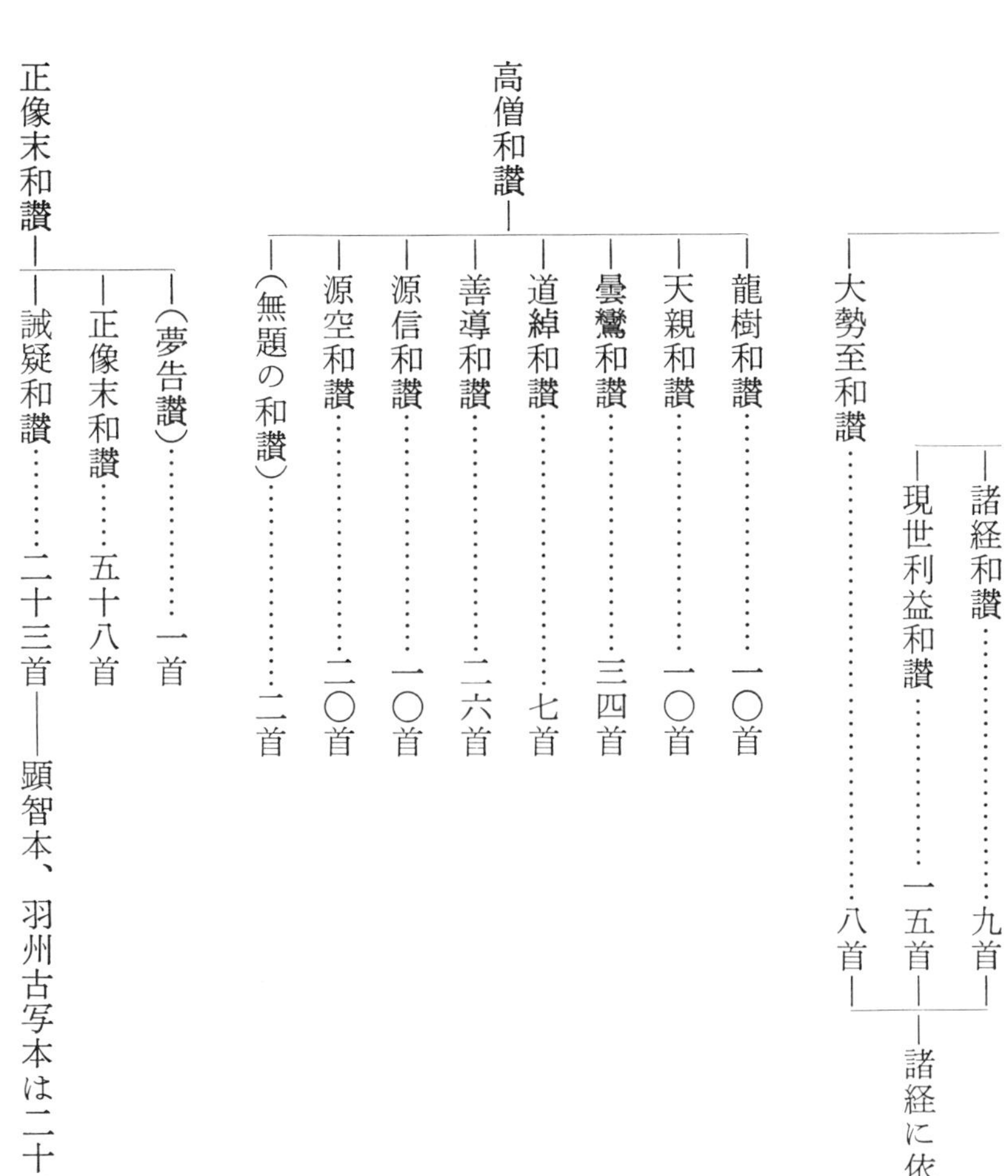
諸経和讃……九首
現世利益和讃……一五首
大勢至和讃……八首
諸経に依る
高僧和讃
龍樹和讃……一〇首
天親和讃……一〇首
曇鸞和讃……三四首
道綽和讃……七首
善導和讃……二六首
源信和讃……一〇首
源空和讃……二〇首
（無題の和讃）……二首
正像末和讃
（夢告讃）……一首
正像末和讃……五十八首
誡疑和讃……二十三首
顕智本、羽州古写本は二十二首、

―聖徳太子和讃……一一首┐顕智本、羽州の古写本にはない。
―述　懐　讃…………一六首┼顕智本、羽州古写本は十一首、
―善光寺和讃…………五首┘（已上三十三首、愚禿悲歎述懐、正嘉二歳九月二十四日、親鸞八十五歳の奥書あり。

## （三）　三帖和讃内容の領解

浄土和讃、高僧和讃の関係は二にして一ともいうべきまことに密接な関係のものである。つまり、『正信偈』の前半は弥陀の本願を、後半は七祖の伝統を讃ぜられたものであることに一致するのである。その製作年代も相続いている。一つの推測ではあるが、宗祖ははじめこの二和讃で完成の思いであったが、後さらに正像末和讃を作って三帖とせられたものと考えられる。これは先哲も既に指摘している。

そしてその内容についてみると、宗祖の教義の全般に渉って組織的に讃ぜられており、このことは、宗祖以前にもまた以後においてもその例のないことである。

また、「弥陀成仏」以下の三首は、曇鸞の讃阿弥陀仏偈にそのまま依ったもので、宗祖の創作とは云い難いところもあるが、先人のお言葉に全然依ることは、宗祖の和

讃全体の共通のものであり、他の宗祖の聖教にも共通するものである。これは、宗祖が自身の意をはさまず、「よき人の仰せ」に入りこまれたものである。そして「帰命せよ」の如き命令的な辞も、宗祖自らが如来から、あるいは「よき人」からお聞きなされる絶対的なお言葉で、宗祖の和讃の力強さは、またこのゆえでもある。聞くところをよろこび、うるところを嘆ぜられるところに和讃の大きな特色があると窺われる。またこのことが、和讃製作の理由でもある。それからもう一つ大切なことは、多屋師も指摘されているごとく、ただ難解な経論等の意を和らげて、我々にたやすく教法を会得せしめんとするのではない。単なる和解讃嘆ではない。宗祖はどこまでも、聞くところをよろこび、獲るところを嘆じたもうたことが第一義で、我々に教えようという心持ちから著作されたものではないことを注意すべきである。

## （四）　三帖和讃の法義

ここで三帖和讃の内容について一言しておかねばならない。『正信偈』は宗祖のお腹である。その正信偈を頂いてみると、一、宗祖の信心の表白、つまりご自督である。二、依経段、三、依釈段、というようになっている。これが和讃で言えば、依経段が浄土和讃、依釈段が高僧和讃、ご自督をのべられるのが正像末和讃に当るのである。いま浄土和讃（正信偈の依経段）を窺うに、ここにおいて弥陀の絶対の法が出されているのである。即ち、弥陀の法は浄土への道ではない。浄土からこの私を救うためにあらわれた法である。法性法身の久遠の如来が、私を救うために、本願を起し、如来の行を行じて成就された名号の妙用によって救いたもうのである。これ先手のかかった救いの法であることを示すのである。つまり先手決定である。

次に高僧和讃（正信偈では依釈段）は、真実の法をあらわすのである。弥陀は衆生を救わんがために、絶対の無相の世界から形をあらわして、因果の法則に順じて、本願を建て、因行の相を示されたのである。これは私を救わんがための善巧方便で、如来が私を救う妙波瀾である。無相に即した相である。それを相にとらわれて、私の見る相と同じようにみるところにあやまりがある。つまり浄土なら私の願生しうる浄土と思い、為凡の法を同凡の法と見あやまるのである。因果共に無相に即した相である。従って私の計らうものではなく、私の行じられるものではないところの真実の法である。このことが高僧和讃にあらわされてある。

さらに正像末和讃は、宗祖のご自督をお述べになされたものである。これが正信偈では、はじめの二句と終りの四句である。末法濁乱の世において、煩悩具足の私が救われてゆく。つまり弥陀の救いをお述べになるもので、救いの転成性をあらわすのである。そして最後に恩徳讃が置かれて、真宗法義はすべてはこの恩徳讃にあらわされていることがしられるのである。名号の妙用（みょうゆう）によって救われてゆく幸せがこの三帖和讃、そして正信偈の上において、その全体があらわされているといただくべきである。図示しておくと次のようになる。

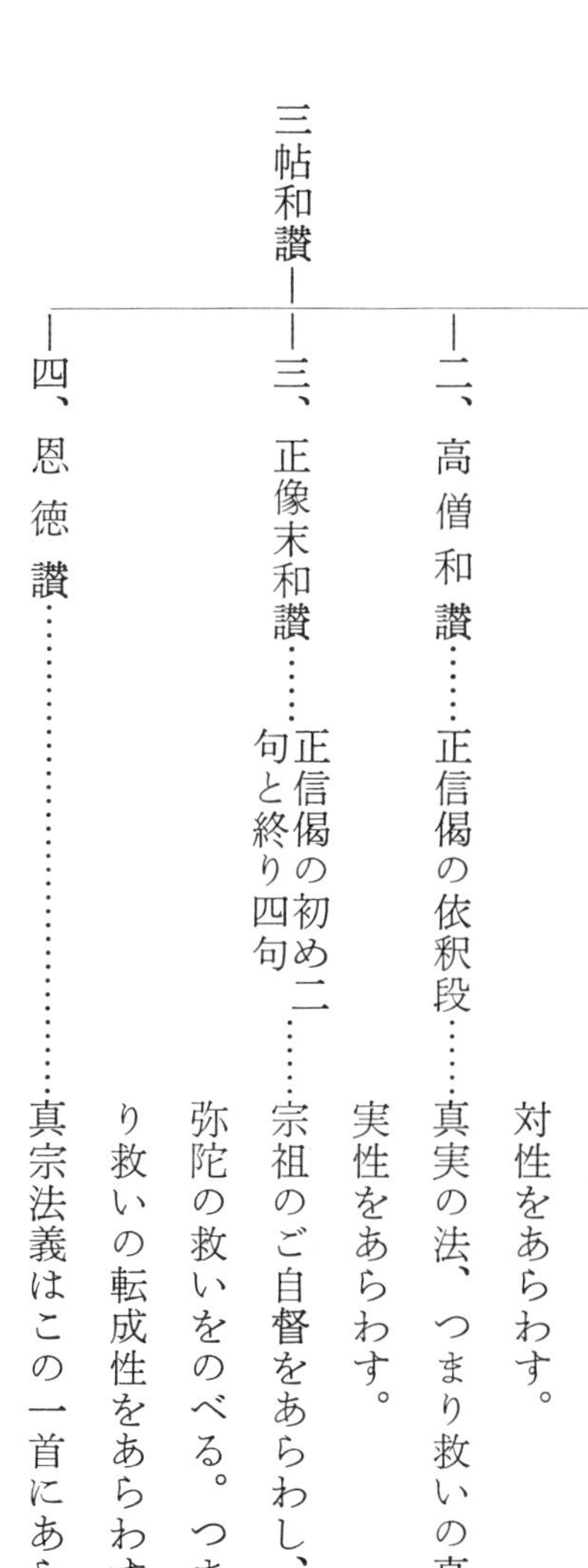

## (五) 製作年時について

和讃は、浄土和讃、高僧和讃が最初にできたようであるが、専修寺の古写本には高僧和讃の奥に、宝治二年(一二四八)正月、宗祖七十六歳で書いたとあり、正像末和讃の巻頭に添えられてある一首は、康元二年(一二五七)二月九日の夢告であると宗祖自らで記してあり、正像末和讃の最初のものは、正嘉元年(一二五七、康元二年と同じ年)閏三月、宗祖八十五歳の作である。高僧和讃と正像末和讃の中間、建長七年(一二五五)八十三歳で七十五首の皇太子聖徳奉讃を作られている。和讃の中には、修正されたものもあり、浄土和讃は建長七年、正像末和讃は正嘉二年八十五歳の奥書を伝えるものも残っている。要するに、宗祖は七十数歳から和讃を作りはじめて、八十歳を超えて九十歳近くまで和讃を作っていられたことが知られる。このことは宗祖をよく知る上にも大切なことと思われる。

## 三、浄土和讃について

浄土和讃は、真宗法義の源底である弥陀の正覚の因果をあらわし、また我等衆生の往生浄土の因果を讃じたもうたものである。殊に冠頭讃の二首は、第三帖までもかかっていて、真宗法義の綱格を示されてある。そして、次の讃偈讃は、『讃阿弥陀仏偈』によって法義の大本を示され、次の三経讃によってその基いをあらわし、諸経讃等は三経讃を助顕するものである。

# 四、高僧和讃について

さきの浄土和讃では、釈尊の説法つまり浄土三部経やその他の諸経にあらわれたおこころを讃ぜられたのである。そこでこの高僧和讃では、真宗の教義は、釈尊の後三国にわたって七高僧が伝持されたので、その七祖各別に意義を讃嘆し、釈文についてかなめを讃じて、七祖勧めたもうところは同一のおこころであると示すのである。

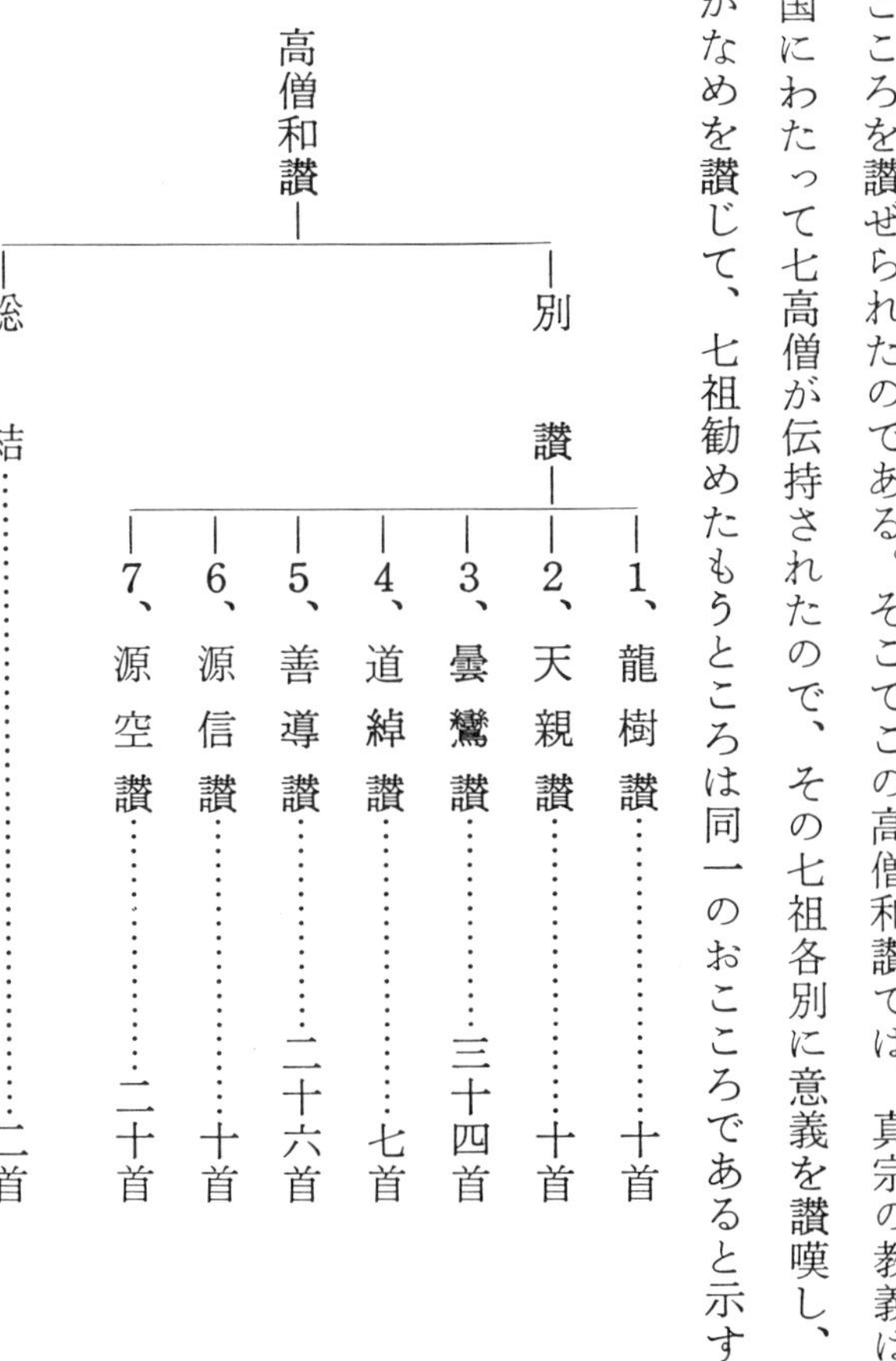

# 和讃要義（上）

——浄土和讃大意——

# 第二章　冠頭讃　二首

【本文】【一】
弥陀の名号となへつゝ　信心まことにうるひとは
憶念の心つねにして　仏恩報ずるおもひあり

【二】
誓願不思議をうたがひて　御名を称する往生は
宮殿のうちに五百歳　むなしくすぐとぞときたまふ

【讃意】第一首は、真実の信心を得て、報謝のおもいより称名すべきであることを勧む。第二首は、弥陀の誓願を疑う過失の重いことを示してこれをいましめる。

【語釈】◎弥陀の名号……我等をお助け下さる弥陀の御名である南無阿弥陀仏。○つつ……ながらということ。いえども の意味。○信心……名号のいわれを聞信し、往生決定と疑いの晴れた心。○憶念……往生決定と信受された心が、相続して忘れ失われないこころ。信心のこと。○つねに……断えないこころ。いつ思い出しても、往生決定の思いのかわらないこと。○仏恩……お助け下さる如来の御恩。◎誓願……弥陀の誓願で、十方衆生われを信じて念仏するものを助け救わんとの誓願。○不思議……心にも、口にも思いはかられず、言いはかられないこと。とても助からない我等が。そのまま助け救われる誓願のすぐれて尊いことをあらわす。○みなを称する往生……南無阿弥陀仏の名号を口に称え、その称える力で往生しようとするもの。第二十願によって往生する自力念仏の者を指すが、ひろくは誓願を疑う者をいましめる。○宮殿（くでん）……自力念仏の者の往生して住いをするところ。○五百歳……宮殿（くでん）の中に閉じこもっている間が五百年であること。○むなしく……五百歳の間は、浄土に生れた所詮もなく、いたづらに年月をすごすこと。不見三宝の失という。

【出拠】 第一首の出拠は適切な文がないが、ふかく他力真宗の真意をふまえて、造讃されたものである。強いてその親しい文を示すと『往生礼讃』前序（真聖全・一・六五一）「然ルニ弥陀世尊、本発二シテ深重ノ誓願ヲ一」の文。第二首は、『大経』下巻（真聖全・一・四三）「仏智・不思議智・不可称智」の文。また『易行品』（真聖全・一・二六〇）「若人」の文。

【要義】 第一首は、他力真実の信心を得たる者は、その信心がたえずつづいて、仏恩報謝の思いより称名相続するの意。第二首は、しかるに心に誓願不思議を疑いながら、口に名号を称え、その称えた力で浄土に往生しようとする者は、方便化土にとどまって五百歳の間空しく過ぎねばならないの意。

# 第三章　讃阿弥陀仏偈和讃　四十八首

『讃阿弥陀仏偈』曰(いわく)。曇鸞御造(ござう)

南無阿弥陀仏釈シテ名ク二無量寿傍経ト一、奉リテレ讃ホメ亦曰フ二安養ト一成仏已来歴タマヘリ二十劫ヲ一
(乃至)(三十七名を出す)
無量徳称讃已上

讃阿弥陀仏偈和讃　　愚禿親鸞作

南無阿弥陀仏

讃阿弥陀仏偈和讃、四十八首は、宗祖聖人がご自身の御意をまじえず、曇鸞大師の『讃阿弥陀仏偈』の意により、四句一首づつの和讃を製作なされたものである。『讃阿弥陀仏偈』は、如来の正覚の果徳を開いて、如来の功徳、聖衆の功徳、国土の功徳としてあらわされたものであるから、讃阿弥陀仏偈と云うのである。宗祖はこれに依られて、広く仏、聖衆、国土の三種荘厳を讃嘆し、三経讃に示される往生浄土の法義の根源を示されたのである。

いまそのあらましを述べてみると、まずはじめに所依を示して「讃阿弥陀仏偈曰、

曇鸞御造」と云い、次に「南無阿弥陀仏」とあるのは、「讃阿弥陀仏偈」一部にあらわされる法体を示し、次に「釈名二無量寿傍経一、奉レ讃亦曰二安養一」とあるのは、「讃阿弥陀仏偈」という題号の註である。そして次に、弥陀の諸徳のもとである光明、寿命の二徳を示し、次に阿弥陀仏の異名三十七を出すのは、この四十八首は三十七名を讃嘆するものであることをあらわし、さらに曇鸞大師のおうけなされたものとして「十住毘婆娑論曰等」と出されたのである。後に「南無阿弥陀仏」とあるのは、この四十八首に讃嘆するところの法体は、南無阿弥陀仏であることを示されたものである。

## 一、十劫成道（法身名義）一首

【本　文】【三】

弥陀成仏のこのかたは　いまに十劫をへたまへり
法身の光輪きはもなく　世の盲冥をてらすなり

【讃　意】阿弥陀仏の成道、果徳を讃嘆されたのである。即ち弥陀が正覚を成ぜられたことを総じて讃嘆す。初の二句は寿命無量を、後の二句は光明無量を讃ず。

【語　釈】○成仏……因位の願行に報うて阿弥陀仏と成りたまうこと。○いまに……釈尊の説法の時。○十劫……劫は梵語の Kalpa、印度において時の長いことをあらわす名。十はその劫を重ねた数。○法身……十劫成道の報身仏。○光輪……光明の徳が円満であって、一切のものを照らし破ること。○も…助字。○世の盲冥……世は迷いの世界、盲冥は御左訓に「めしいくらきもの」とあって、智恵の眼を失い、生死の暗闇にさまようわれら衆生のこと。

**【出拠】** 『讃偈』（真聖全・一・三五〇）に「成仏已来歴十劫」とある。宗祖は「いまに」の言葉を入れてあるが、これは『阿弥陀経』の「成仏已来、いまにおいて十劫なり」の文による。「いまに」の語が入って、その意味が切実になっている。

**【要義】** 宗祖の『唯信鈔文意』には、二種法身を挙げて、色もなく形もない法性法身より形をあらわして法蔵比丘の姿となり、願行成就して光寿二無量の阿弥陀仏となられたのが方便法身であると示されてある。だからここの法身というのは、十劫成道の報身のことである。それを報身と言わないで法身と言うのは、法性法身、方便法身の二身相即することを示すのである。されば私たちはゆくさきを案ずれば案ずるほど、私の一大事を決定して下さるために、如来はその御名をおきかせ下さるのである。この御名が与えられることを聞き、十劫のいにしえを仰げば仰ぐほど、その本願円成の御名が、いま私たちの上に来らせられてあることを喜ばねばならない。

## 二、如来荘厳　十二首

### (一) 無量光（三種荘厳）

【本文】【四】
智慧(ちゑ)の光明(くわうみやう)はかりなし　有量(うりやう)の諸相(しよさう)ことごとく
光暁(くわうけう)かふらぬものはなし　真実明(しんじちみやう)に帰命(くゐみやう)せよ

【讃意】既に十劫成道の果徳を嘆じたので、以下は別して三種荘厳を讃嘆せられるのである。

いまはじめに如来荘厳を嘆ずるに、十二光をつらねてある。そしてここは、如来の光明は過去、未来、現在の三世を貫き、はかりなく照らしたまう徳のあることを嘆ずるのである。これ智徳である。

【語釈】〇はかりなし……いつまでもはかりなく照らしたもうこと。〇有量の諸相……かぎりある諸相のこころ。いまは迷いの世界の衆生のこと。〇真実明……真実とは虚仮でないこと。如来の光明は、衆生の心中を照らして、迷いの闇をはらしたもう力があるから、真実明と申すのである。〇帰命……如来のおおせにしたがうこと。

【出拠】『讃偈』（真聖全・一・三五〇）に「智恵ノ光明不レ可カラレ量リ、云々」とある。

【要義】この一首は、弥陀の御智恵よりはなちたまうところの光明は、いつまでともはかりなく、迷いの世界の衆生を照らしたまうことである。この光明のお照らしをこうむるものはみな、夜が明けたように、無明煩悩の闇は晴れて、信心の明かりを生じないものはない。このような光明の徳を具したもう真実明の如来であるから、その仰せにうたがいなくしたがいたてまつれとおおせられるのである。

## （二）無辺光

【本文】【五】

解脱（けだち）の光輪（くわうりん）きはもなし　光触（くわうそく）かふるものはみな
有无（うむ）をはなるとのべたまふ　平等覚（びやうどうがく）に帰命（くゐみやう）せよ

【讃意】如来の光明は十方世界に尽くし、ほとりなく照らしたまう徳のあることを讃嘆するのである。即ち十二光中第二の無辺光の徳である。初三句は光徳を嘆じ、後の一句は信を勧む。

【語釈】○解脱……煩悩悪業のために、生死の迷いの世界にそくばくをうけているものが、そのそくばくから解きはなれて、自在の身となる仏のさとり。○光輪……輪宝にくだく徳のあるをとって光明にたとえる。御左訓に「くだく」とある。○光触かふる……光触とは、光明に照らされること。「かふる」とは「かふむる」のこと。○有無……われわれが死ねばまた人と生れていつもかわることがないというのを有の見、または常見とする。ひとたび死せば身心共に滅して、生れかることはないというのが無の見、または断見という。これらはいづれもかたよった考えであるから偏見と云うてまことのものではない。○平等覚……われわれをして有無の二辺をはなれ、平等のさとりを得せしめて下さる仏であるから平等覚というのである。覚は仏と同じ。

【出拠】「讃偈」(真聖全・一・三五一)に「解脱ノ光輪無シ㆓限斉㆒」とある。

【要義】如来の自在な仏徳からあらわれて私たちを救うてくださる御光は、広大であって、横に際（きわ）なく、いかなる者をもお照らし下される。それゆえにこの御光に触れる者は、すべての迷いの本である有無の二つの邪見をはなれることができる。私たちはこの平等覚の如来を仰がずにはいられない。

## (三) 無 礙 光

【本文】【六】

光雲無㝵如虚空（くわううんむげにょこく）（ヒカリクモノゴトクシテサハリナキコトコクノゴトシ）　一切（ゐちさい）の有㝵（うげ）にさはりなし（ヨロヅノサハリアルコト）
光沢（くわうたく）かふらぬものぞなき　難思議（なんじぎ）を帰命（くゐみやう）せよ

【讃意】如来の光明は、すべてのものに礙えられることなく、照らしたもう徳のあることを讃ず。即ち十二光中の第三無礙光の徳を讃じ、初三句は光徳を嘆じ後の一句は信を勧む。

【語釈】○光雲無礙如虚空……「光雲(ひかりくも)の如く、さわりなきことを虚空の如し」とある。即ち如来の光明のあまねくゆきわたり、雨をふくんで物をうるおすこと雲のごとく、さわりなく照らしたもうこと虚空の如くなりとのこと。○光沢……沢はうるおすこと。光明に物をうるおす徳のあること。即ち雨のうるおいで草木が芽を出すごとく、無礙光のお照らしによって、煩悩悪業の衆生、信心の智恵を生ずることを云う。宗祖の御左訓は「ひかりにあたるゆえに、ちえのいでくるなり」とある。○かふらぬものぞなき……宿善到来の人であれば、一人としてこの光沢を受けないものはない。○難思議……心に思いつくされず、ことばにのべつくされないこと。その思議しがたい無礙光の徳をもって如来に名づくるのである。

【出拠】「讃偈」(真聖全・一・三五一)に「光雲(ノゴトクニシテ)無碍(ナルコト)如(シ)二虚空(ノ)一」とある。

【要義】如来の御光はあまねく世をおおうて、私たちの上に法のめぐみをそそぎたもう。そのおはたらきは何をもってもさえられないこと、あたかも、虚空のようである。されば、この世のすべての者、そのみ恵みをこうむらぬ者はない。みなともに、この私たちの思いと、ことばとをこえたもう御光のみ親を仰ぎたてまつらねばならない。

## （四）無対光

【本文】【七】

清浄光明ならびなし　遇斯光のゆへなれば
一切の業繋ものぞこりぬ　畢竟依を帰命せよ

【讃意】如来の光明はきよらかであって、よく迷いの世界の因である煩悩悪業を断滅する徳のあることを讃嘆する。即ち十二光中の第四無対光を讃じ、初一句は無対光、次二句は利益をあげ、後一句は信を勧む。

【語釈】○清浄光明……光明の体はきよらかであって、悪業煩悩の垢をはなれてあること。○遇斯光……斯光は如来の光明である。即ち阿弥陀仏のこと。遇はまうあうとよみ、聞信せること。○業繋……煩悩によって業をつくり、業によって生死迷界の獄につながること。即ち迷いの因、御左訓に「つみのなはにしばらるるなり」とある。もは助字。○畢竟依……畢も竟もおわるとよむ。依は依りたのむこと、即ち最後の依りどころである阿弥陀仏のこと。

【出拠】『讃偈』（真聖全・一・三五一）に「清浄光明無レ有レ対」とある。

【要義】如来の御光には、なにものも比べられず、またなにものもかなうことはできない。

それは清浄無漏の業からあらわれたもうためである。それゆえに、如来のご本願を信受し、この御光にあえば、一切の業のきづなからのがれさせていただくことができる。さればこそ如来は私たちの最後のよりどころのおかたであらせられる。みなともにはやくこの如来に帰したてまつらねばならない。

## （五）炎王光

**【本　文】**【一八】

仏光照曜最第一　光炎王仏となづけたり
三塗の黒闇ひらくなり　大応供を帰命せよ

**【讃　意】**如来の光明は、はたらきがすぐれてましますゆえに、いかなる悪道に沈んでいる衆生をも救い、苦果を滅すべき徳のあることを讃嘆する。即ち十二光中第五の炎王光を讃ず。初二句は自体をあげ、第三句はその利益を述べ、第四句は信を勧む。

**【語　釈】**○照曜……光明の照らしかがやくこと。曜は輝と同じである。光炎王仏……光は「仏光」、炎は炎の盛んに燃えるかたちで、上の照曜のこと。王は「最第一」のこころ。即ち上の句をうけて仏名を立てる。○三塗の黒闇……三塗は地獄・餓鬼・畜生の三悪道。黒闇は日月の光もなく、まっくらやみのこと。○ひらく……啓の字。ひらきいだすこと。即ち解脱せしむるこころ。○大応供……一切衆生の供養を受けるに相応した如来。弥陀の別号。○をとにのこと……これまでのお言葉の中にもあったように、真実明に、平等覚に、難思議を、畢竟依を、大応供を、とあるごとく、をとにの使い分けの意味を述べる。たとえば、人をと言えば向うの人にかぎる言葉になる。また人にと言えば自分をかぎる言葉になる。いまも大応供をと言えば所帰命の如来にかぎる言葉になる。十方の諸仏は多いがお徳のすぐれた大応供の阿弥陀如来を帰命せよということになる。また大応供にといえば、能帰命を勧める言葉になる。有縁の道俗はやくこの大応供に帰命せよとお勧めなされる言葉になる。これはこの二義ながらなければならぬ。そこで御草稿本には、にとあり、蓮如開版の「文明本」にはをとある。再治校合本にはにとをとをまぜて御つかいなされる。まぜてつかいたもうは両方ながら具わらねばならぬということをあらわせられると思われる。

【出　拠】『讃偈』（真聖全・一・三五一）に「仏光照耀シテ最第一ナリ」とある。

【要　義】如来の御光が、私たちの上にかがやきたもうことは、すべての光にすぐれさせられてあるから、光炎王仏と申しあげる。この御光が私たちを三悪の暗やみからひきあげて下さる。それであるからこの御光の御親こそ私たちの敬いをささげねばならない大応供者である。

## （六）清浄光

【本文】【九】

道光明朗超絶せり（だうくわうみやうらうてうぜち／ミダノヒカリアキラカニスグレタリトナリ）　清浄光仏とまふすなり（しやうじやうくわうぶち）

ひとたび光照かふるもの（くわうせう／ヒカリニテラサルトナリ）　業垢をのぞき解脱をう（ごふく／アクゴフボムナウナリ、げだち／サトリヲヒラクナリ）

【讃意】如来の光明は清浄にして、汚れたる悪業煩悩を除き、往生を得しめたもう徳のあることを讃嘆する。

【語釈】〇道光……道は菩提（ボードヒ）の訳語で仏の証果、即ち仏果より放たれる光明のこと。

【出拠】『讃偈』（真聖全・一・三五一）に「道光明朗ニシテ色超絶シタマヘリ」とある。

【要義】すべてにこたえたもう如来のおさとりから放たれた御光は、明らかで、かつすぐれさせられてあるから、清浄光仏と申しあげるのである。ひとたびこの御光のお照らしをいただく者は、この世をおわるなり、解脱の徳を完うすることができるのである。

## （七）歓喜光

【本文】【一〇】

慈光はるかにかふらしめ（じくわう）　ひかりのいたるところには

法喜をうとぞのべたまふ（ほふき／ミノリヲヨロコブナリ）　大安慰を帰命せよ（だいあんゐ、くゐみやう）

【讃意】如来の光明は衆生の憂苦を抜き、慰楽をあたえたもう徳のあることを讃嘆する。

【語釈】〇大安慰……往生安堵して身も心も安らけく、なぐさめをあたえたまう如来のこと。

【出拠】『讃偈』（真聖全・一・三五二）に「慈光遐被ニラシメ施ニス安楽一ヲ」とある。

【要義】自らの暗闇におののき、罪におそれ、苦しみにさけぶ私たちの上に、如来のお慈悲から放たせられる御光は、必ず法のよろこびがえられる。

## （八）智恵光

【本文】【一一】
無明（むみやう）の闇（あむ）を破（は）するゆへ　智慧光仏（ちゑくわうぶち）となづけたり
一切諸仏三乗衆（ゐちさいしよぶちさむじようじゆ）ヤミニテクラシヤブルナリ　ともに嘆誉（たんよ）ホメホムルナリしたまへり

【讃意】如来の光明は仏智を疑うこころを破って、信心を生ぜしめたもう徳のあることを讃嘆する。

【語釈】〇無明の闇……如来の智恵を疑惑する凡夫のこころを無明と云い、闇は疑惑のすがたをたとえたのである。

【出拠】『讃嘆』（真聖全・一・三五二）に「仏光能破クスニ無明闇一ノヲ」とある。

【要義】仏智を信ずることのできない私たちの無明を、いまは明らかに打ち破りたもう如来ゆえに、わが如来を智恵光仏と申しあげる。

## （九）不　断　光

【本　文】【一二】

光明（くわうみやう）てらしてたへざれば　不断光仏（ふだんくわうぶち）となづけたり

聞光力（もんくわうりき）のゆへなれば（ミダノオンチカヒヲシンジマヒラスルナリ）　心不断（しむぷだん）にて往生（わうじやう）す（ミダノセイグワンヲシンゼルコヽロタヘズシテワウジヤウストナリ）

【讃　意】如来の光明は、間断なく照らして、信心を相続せしむる徳のあることを讃嘆する。

【語　釈】○聞光力……光明の力を聞くこと。聞は信と同じく、光明に摂取不捨のはたらきのあることを信受するこころ。

【出　拠】『讃偈』（真聖全・一・三五二）に「光明一切ノ時普ク照ラス」と。

【要　義】如来の御光は、またたくまも休まずにお照らし下さるから、不断光仏とも申しあげる。

## （一〇）難　思　光

【本　文】【一三】

仏光測量（ぶちくわうしきりやう）なきゆへに　難思光仏（なんじくわうぶち）となづけたり

諸仏（しよぶち）は往生嘆（わうじやうたん）じつゝ（ホムルナリ）　弥陀（みだ）の功徳（くどく）を称（しよう）せしむ

【讃　意】如来の光明は悪人凡夫をして、浄土に往生せしめる徳のあることを讃嘆する。

【語　釈】○測量……測は広狭浅深をはかり、量は軽重多少をはかるこころ。即ち二字共にはか、ると訓じ、弥陀の光明を思い考えるも、はかり知られぬこと。

【出　拠】『讃偈』（真聖全・一・三五二）「其光除仏莫能測」と。

【要　義】如来の御光のみはたらきは、私たちではかることができない。

## （二）無称光

【本　文】【一四】

神光の離相をとかざれば　無称光仏となづけたり
因光成仏のひかりをば　諸仏の嘆ずるところなり

【讃　意】如来の光明は悪人凡夫をして、浄土に往生せしむる徳のあることを讃嘆する。

【語　釈】○神光……神は不測のこころ。即ちはかりしられない光明のこと。『大経』に威神光明とあるのを略して神光という。○離相……有為生滅の相をはなれること。

【出　拠】『讃偈』（真聖全・一・三五三）に「神光離相不可名」と。

【要　義】その御光の体が一切の相をはなれたまうゆえ一切の相をあらわしたもう御徳は、私たちの粗雑なことばでは言いあらわされない

## （三）超日月光

【本　文】【一五】

光明月日に勝過して　超日月光となづけたり
釈迦嘆じてなをつきず　無等等を帰命せよ

【讃意】世間の日月をたとえとして、総じて光明のすぐれてあることを讃嘆する。

【語釈】〇勝過……すぐれてあること。

【出拠】『讃偈』（真聖全・一・三五三）に「光明照耀シテ過ギタリ日月ニ」と。

【要義】如来の御光は、この地上の日月にこえすぐれたもうゆえに、超日月光と申しあげる。

## 三、聖衆荘厳　十一首

### (一)　果徳殊勝

【本文】【一六】
弥陀初会の聖衆は　算数のおよぶことぞなき
（ミダノブチニナリタマヒシトキアツマリタマヒシシヤウジユノオホキコトナリ）
浄土をねがはんひとはみな　広大会を帰命せよ

【一七】
安楽無量の大菩薩　一生補処にいたるなり
普賢の徳に帰してこそ　穢国にかならず化するなれ

【一八】
十方衆生のためにとて　如来の法蔵あつめてぞ
（ダイジダイヒヲマフスナリ）
本願弘誓に帰せしむる　大心海を帰命せよ

【一九】　観音勢至もろともに　慈光世界を照曜し
　　　　有縁を度してしばらくも　休息あることなかりけり

【二〇】　安楽浄土にいたるひと　五濁悪世にかへりては
　　　　釈迦牟尼仏のごとくにて　利益衆生はきはもなし

【二一】　神力自在なることは　測量すべきことぞなき
　　　　不思議の徳をあつめたり　無上尊を帰命せよ

【二二】　安楽声聞菩薩衆　人天智慧ほがらかに
　　　　身相荘厳みなおなじ　他方に順じて名をつらぬ

【二三】　顔容端政たぐひなし　精微妙軀非人天
　　　　虚無之身無極体　平等力を帰命せよ

**【讃　意】**　第一首は、弥陀のはじめて成仏したまいしとき、集まられた聖衆の数限りないことを讃嘆す。

第二首は、浄土の聖衆は、菩薩の極位にのぼり、この世界にかえり来って、衆生を化益せられる益のあることを讃ず。

第三首は、浄土の菩薩が、もろもろの功徳を積まれるのは、衆生を済度して、弥陀本願に帰入せしめるためであることを示す。

第四首は、観音・勢至の二大士は、衆生済度にひまのないことを述べる。

第五首は、穢国に還来する聖衆の、衆生を教化利益してきわまりのないことは、あたかも釈迦牟尼仏のごとくなることを讃嘆する。

第六首は、浄土の聖衆は、十方世界に遊んで諸仏を供養すること自在なることを讃嘆す。

第七首は、浄土の聖衆は、声聞の菩薩等の名分れているが、その内証の智恵も、外相の身形も、平等であって異なることのないことを讃嘆する。

第八首は、浄土の聖衆は、身体精妙（しんたいしょうみょう）であって、即ち無上涅槃を証（さと）れる、弥陀同体の果報であることを述べる。

【語　釈】

◎初会……阿弥陀仏の成仏して、はじめて説法したまえる会座。○広大会……聖衆の広大に集まるは弥陀の徳であるから、これを仏名とする。◎一生補処……一生を過ぎれば仏処を補うということで、菩薩の最高位。◎如来の法蔵……如来とは諸仏、法とは功徳、蔵とは含摂（がんしょう）のこと。即ち無量の仏徳を含摂（がんしょう）する。自利利他のこと。○大心海如来の大慈悲心の広大無辺の徳を海にたとえる。◎神力自在……神力とは、はかられないつよいはたらき。自在とは、思いのままなること、即ち浄土の聖衆が、諸仏を供養されるはたらきのすぐれたことをいう。◎身相荘厳……からだの相好（そうごう）や荘厳（しょうごん）が、いづれも同じであるということ。○他方に順じて名をつらぬ……他方とは、浄土の外の世界、まさしくこの娑婆を指す。◎顔容端政……顔容とは、顔面容貌のことで、かおかたちのこと。端政とは、端は端直、政は正と同じで、正しくととのえること。即ち顔かたちのよくそのところを得て、相好（そうごう）円満であるを云う。

【出拠】

第一首は『讃偈』（真聖全・一・三五四）に「阿弥陀仏初会衆」とある。
第二首は『讃偈』（真聖全・一・三五四）に「安楽無量」とある。
第三首は『讃偈』（真聖全・一・三五四）に「安楽国土諸声聞」とある。
第四首は『讃偈』（真聖全・一・三五五）に「又観世音・大勢至」とある。
第五首は『讃偈』（真聖全・一・三五五）に「其有衆生」とある。
第六首は『讃偈』（真聖全・一・三五五）に「安楽菩薩」とある。
第七首は『讃偈』（真聖全・一・三五六）に「安楽声聞」とある。
第八首は『讃偈』（真聖全・一・三五六）に「安楽声聞」とある。

【要　義】　弥陀初会云々以下十一首は、浄土に往生せられた聖衆の荘厳功徳を讃ず。その中、今の八首は、果徳の殊勝なることを明かす。さらにこの中、はじめの一首は、弥陀仏初会の聖衆の数多きことを明かし、後七首はその徳相の勝れてあることを示す。

## (二)　因法殊勝（三定聚義）

【本　文】

【二四】　安楽国をねがふひと　正定聚にこそ住すなれ
邪定・不定聚くにゝなし　諸仏讃嘆したまへり

【二五】　十方諸有の衆生は　阿弥陀至徳の御名をきゝ
真実信心いたりなば　おほきに所聞を慶喜せん

【二六】　若不生者のちかひゆへ　信楽まことにときいたり
一念慶喜するひとは　往生かならずさだまりぬ

【讃　意】　第一首。浄土願生の者をして、現生に正定聚に住ぜしむる利益あることを讃ず。

第二首。諸仏讃嘆の名号を聞いて、真実信心を得ることを讃ず。これ因法の超絶せることを説く。

第三首。願力によって信楽を得る一念の時、往生治定の益のあることを讃ず。

【語　釈】○正定聚……正しく本願を聞信して、往生の定まる聚類。○邪定……邪定聚のこと。即ち邪雑の行である諸善万行を修して、浄土に往生せんと願う聚類。○不定……不定聚のこと。即ち自力念仏によって、往生せんと願う聚類。◎いたりなば……宿善開発して信心決定の時が来たらということ。◎若不生者のちかひ……くわしくは、「若不レ生者不レ取二正覚一」、即ち第十八願に三信十念せんもの、若し生れずば正覚を取らじと誓われたこと。

【出　拠】第一首は、『讃偈』（真聖全・一・三五六）の文「敢能得レ生二安楽国一」と。

第二首は、『讃偈』（真聖全・一・三五七）に「諸　聞二阿弥陀徳号一」と。これ第十八願成就のこころを讃述されたものである。

第三首は、前讃と同じ。即ち『讃偈』の「乃曁一念等」の後の二句のこころを讃述せられたものである。

【要　義】第一首。これから新たに浄土に参って、自利利他の徳を全うして、内には智恵にみたされ、外には荘厳をかがやかすことのできる新生の聖衆は、只今この世において、正定聚の位に入らせていただいておる身でなければならない。

第二首。十方のすべての衆生、殊に三界の迷い心にからめられている私たちは、どうした幸せなことであろうか。いま思いがけなく、仏祖の御教えにあい、ここでそのお与え下される弥陀の至徳の御名をきくことができ、疑いなくその真実がいただかれる時が到った上は、どうあってもその聞こえた本願のおまことをよろこばずにはいられない。

第三首。ひとたび宿縁の熟する時が到って、如来の本願が領受せられ、浄土が仰がれ、御廻向のおまことがよろこばれる身となってみれば、往生とさとりとについて、明らかに決定の思いがあたえられる。それはもと、根本の本願に「もし生まれずば」とのお誓いがあらせられるからである。

## 四、国土荘厳　二十四首

### (一)　依正無比

**【本　文】**　【二七】

安楽仏土の依正は　法蔵願力のなせるなり
天上天下にたぐひなし　大心力を帰命せよ

**【讃　意】**　安楽浄土の正報も依報も、すべて法蔵菩薩の願力に報うて成就されたのであるから、世界にたぐいのないことを讃嘆する。

【語釈】○依正……依報即ち国土と、正報即ち仏及び聖衆。○大心力……大願心のはたらき。即ち弥陀の徳名。

【出拠】『讃偈』（真聖全・一・三五七）に「安楽菩薩」と。

【要義】新に聖衆の生まれゆく如来の浄土は、このようにすぐれた浄土を建立された大願心力の阿弥陀如来なれば、私たちはただその仏のおおせにしたがいたてまつらねばならぬ。

## （二）超絶功徳

【本文】【二八】

安楽国土の荘厳は　釈迦無导のみことにて
とくともつきじとのべたまふ　無称仏を帰命せよ

【讃意】弥陀の浄土の荘厳のすぐれてあること、釈迦牟尼仏の無礙弁を以てするも、なお説きつくされないことを示す。

【語釈】○無称仏……説きつくされないお徳をそなえたまう阿弥陀仏の徳名。

【出拠】前の和讃の出拠のところで出ている（真聖全・一・三五七）「釈迦無礙」の句と、次の偈に、「天人一切」とある。

【要義】既に述べたように、弥陀の浄土は、法蔵菩薩の願力よりあらわれたものであるから、天上天下に類いない国土である。その勝れた荘厳の有様は、釈迦牟尼仏が無礙自在の大弁才を以て説きのべ給うとも、説きつくさせられないことである。この広大不可思議の徳をそなえたまえる無称仏であるから、その仏の仰せにしたがいたてまつらねばならない。

## （三）往生無数（大利無上）

**【本文】**

【二九】
已今当の往生は（クワコニムマルコムジヤウニムマル、ミライニムマル、ナリ）　この土の衆生のみならず
十方仏土よりきたる　無量無数不可計なり（カゾフベカラズトナリ）

【三〇】
阿弥陀仏の御名をきゝ　歓喜讃仰せしむれば（ヨロコビホメアフグトイフ）
功徳の宝を具足して　一念大利無上なり

【三一】
たとひ大千世界に　みてらん火をもすぎゆきて
仏の御名をきくひとは　ながく不退にかなふなり

【三二】
神力無極の阿弥陀は　無量の諸仏ほめたまふ
東方恒沙の仏国より　無数の菩薩ゆきたまふ

【三三】
自余の九方の仏国も（コヽノツノハウノブチドヨリゴクラクニムマル、ナリ）　菩薩の往覲みなおなじ（ワウジヤウシホトケヲミタテマツル）

釈迦牟尼如来偈をときて　無量の功徳をほめたまふ
十方の無量菩薩衆　徳本うへんためにとて
恭敬をいたし歌嘆す　みなひと婆伽婆を帰命せよ

【三四】


【讃　意】第一首。三世に通じ、十方にわたって、往生者の数の多いことを示す。

第二首。名号を聞信する一念に無上の功徳を得、往生決定することを示す。

第三首。阿弥陀仏の御名を聞くひとは、不退にいたる利益があるから、大千世界に充ち満つる火の中をも過ぎて、御名を聞くべきことを述べる。

第四首。諸仏の讃嘆をきいて、東方恒沙の仏国より、無数の菩薩方が往観したもうことを述べる。

第五首。東方仏国以外、余の九方仏国よりも、菩薩の往観盛んであることを述べる。

第六首。菩薩の浄土に往観したもうは、徳本を植え、すみやかに仏果を成ぜんがためであることを述べる。

【語　釈】◎已今当……已は「すでに」、今は「いま」、当は「まさに」と訓ず。即ち過去・現在・未来の三世を指す。〇功徳の宝……あらゆる一切の善根功徳をおさめたる名号のこと。〇大千世界……この世界のこと。〇みてらん……「みちてあらん」の略語。◎

神力無極……威神力不思議にしてきわまりのないこと。数多いこと。◎自余の九方……東方より余の九方。即ち南西北四維上下を指す。◎徳本……功徳の本（もと）で、仏果を得る因行のこと。〇婆伽婆……梵語（Bhagavat）の音写、有大功徳または徳成就と訳す。仏の称号。

【出拠】第一首は、『讃偈』（真聖全・一・三五八）に「十方仏土ノ菩薩衆」とある。

第二首は、『讃偈』（真聖全・一・三五八）に「若シ聞キテ二阿弥陀ノ徳号ヲ一」と。

第三首は、『讃偈』（真聖全・一・三五八）に「設ヒ満テラン二大千世界ニ一火ヲモ」と。

第四首は、『讃偈』（真聖全・一・三五八）に「神力無極ノ」と。

第五首は、『讃偈』（真聖全・一・三五八）に「自余ノ九方モ」と。

第六首は、『讃偈』（真聖全・一・三五九）に「諸来ノ無量菩薩」と。

【要義】第一首は、いかに弥陀の浄土が他にすぐれてたぐいなく、またその国土のいかに広大無限なるかがうかがわれるのである。

第二首は、まことに御名を聞かれたものは、その御名の中にこもっているあらゆる功徳の宝を円満具足して、聞名の一念にこの上もない大利益を得て、かならず浄土に往生することである。

第三首。御名を聞くものは、必ず往生の果報を得ることに決定し、ながく不退転の位に住することができるのである。

第四首。阿弥陀仏の威神極まりのないことを、十方の諸仏は声をそろえて讃嘆したもうのである。

第五首。釈迦牟尼仏は偈頌を以て、往観の盛んである有様を説き、弥陀のはかりない功徳を讃嘆せられたのである。

第六首。十方の菩薩がたが、恭敬歌嘆される弥陀であるから、私たちはただその徳を仰ぎ、帰命し奉らねばならないのである。

## (四) 真仮二土

【本　文】

【三五】七宝講堂道場樹　方便化身の浄土なり
十方来生きはもなし　講堂道場礼すべし

【三六】妙土広大超数限　本願荘厳よりおこる
清浄大摂受に　稽首帰命せしむべし

【三七】自利々他円満して　帰命方便巧荘厳
こゝろもことばもたへたれば　不可思議尊を帰命せよ

【三八】

神力本願及満足　明了・堅固・究竟願
慈悲方便不思議なり　真無量を帰命せよ

【讃　意】　第一首は、これまでの和讃では、十方世界から来生する者の数が多いことによせて、弥陀浄土の広大無辺である徳を讃嘆されたのであるが、以下は直ちに国土の荘厳を讃嘆する中で、まず方便化土をあげて、真仮二土の分際を明らかにされるのである。

第二首は、真実報土は広大無辺であって、弥陀因位の本願により成就されたことを述べる。

第三首は、弥陀の浄土は自利利他円満して、一々の荘厳、衆生を摂取する徳のあることを示す。

第四首は、真実報土の荘厳は、因位の願力と果上の神力とによって成就されたものであるから、摂化利益不可思議であることを讃ず。

【語　釈】　◎七宝講堂……七宝荘厳の講堂。○方便化身……方便は真実に対し、化身は報身に対す。即ち自力往生人のために、かりに化現されるところの仏身。○本願荘厳……弥陀因位の本願力より荘厳せられたこと。◎神力……威神力のこと。即ち弥陀果上のはかりがたいお力。○真無量……衆生を摂受するはたらきの真にはかられないこと。

【出拠】第一首は、『讃偈』（真聖全・一・三五九）に「聖主世尊」また「同」（真聖全・一・三六〇）に「道樹高サ四百万里」と。

第二首は、『讃偈』（真聖全・一・三六〇）に「妙土広大ニシテ」と。

第三首は、『讃偈』（真聖全・一・三六〇）に「世界光曜」と。

第四首は、『讃偈』（真聖全・一・三六一）に「蒙リ三道場樹対スルヲ二六根ニ一」

【要義】この四首は真仮二土を示す。その中初の一首は仮の土即ち方便化土を示し、後の三首は真実報土をあらわす。後の三首の中、初は直ちに真実報土を讃じ、次の二首は重ねてその土の広大なること、及び本願の尊高なることを嘆ず。

## （五）宝林讃嘆

【本文】

【三九】
宝林宝樹微妙音　自然清和の伎楽にて
哀婉雅亮すぐれたり　清浄楽を帰命せよ

【四〇】
七宝樹林くにゝみつ　光耀たがひにかゞやけり
華菓枝葉またおなじ　本願功徳聚を帰命せよ

【四一】
清風宝樹をふくときは　いつゝの音声いだしつゝ
宮商和して自然なり　清浄勲を礼すべし

【讃意】第一首は、浄土の宝林宝樹より発する、音楽のすぐれたことを讃ず。

第二首は、浄土の七宝樹林より放つところの光明、たがいに照らしかがやくことを讃ず。

第三首は、清風起って宝樹にそよぎ、自然の音楽をかなづることを讃ず。

【語釈】◎自然……奏(かな)でるものがないのに、おのづから音声のおこること。◎光耀……七宝樹林より放たれる光明のかがやき。◎いつつの音声……宮(きゅう)・商(しょう)・角(かく)・徴(ち)・羽(う)の五音。○宮商和して自然なり……宮商和してとは、五音中の初二を挙げて後三を略す。自然とは調子をととのえるものがないのに、おのづから調和すること。

【出拠】第一首は、『讃偈』(真聖全・一・三六一)に「従(リ)二世帝王(ノ)一」と。

第二首は、『讃偈』(真聖全・一・三六二)に「七宝樹林周(シ)二世界(ニ)一」と。

第三首は、『讃偈』(真聖全・一・三六二)に「清風時時吹(ク)二宝樹(ヲ)一」と。

【要義】如来の本願と、それから仕上げさせられた果上の御徳は、殊にすぐれさせせられてあるから、それがあらわれて真実報土の荘厳とならせせられてある。

## (六) 宝蓮讃嘆(華光出仏)

【本文】【四二】一一(いちいち)のはなのなかよりは　三十六百千億(さむじふろくひやくせんおく)の

光明てらしてほがらかに　いたらぬところはさらになし

【四三】
一一のはなのなかよりは　三十六百千億の
仏身もひかりもひとしくて　相好金山のごとくなり

【四四】
相好ごとに百千の　ひかりを十方にはなちてぞ
つねに妙法ときひろめ　衆生を仏道にいらしむる

【讃意】第一首は、浄土の世界に充ち満つる蓮華の一々より放つところの光明、あまねく十方世界を照らすことを讃ず。
第二首は、蓮華の光より仏身あらわれることを讃ず。
第三首は、光明の中よりあらわれる仏身、光を十方に放って説法度生したもうことを讃ず。

【語釈】○相好……仏身のおすがた。○金山……ひかりまばゆき黄金の山。

【出拠】第一首、第二首、第三首共に『讃偈』（真聖全・一・三六三）に「一一華中」と。

【要義】浄土荘厳の御林の華からは、無数の光がいで、光からは無数の仏があらわれ、その相好金山のごとく輝やかせられ、一一の仏が一一の国をとわせられて衆生を導かせられる。

## （七）宝池讃嘆

【本　文】【四五】

七宝の宝池いさぎよく　八功徳水みちみてり
無漏の依果不思議なり　功徳蔵を帰命せよ

【四六】

三塗苦難ながくとぢ　但有自然快楽音
このゆへ安楽となづけたり　無極尊を帰命せよ

【讃　意】第一首は、浄土の宝池は八功徳水みちみちて、きよらかなることを讃ず。
第二首は、宝池の水に自然快楽の音あり。安楽国と名づくるゆえんを讃ず。

【語　釈】◎いさぎよく……きよらかなこと。○無漏の依果……無漏は煩悩をはなれたること。依果は所依の果報、即ち依報というに同じ。◎三塗苦難……三塗とは三悪道のこと。苦難とは劇苦艱難にて苦しい難儀なこと。○但有自然快楽音……ただ自然快楽の音あるのみということ。

【出　拠】第一首は『讃偈』（真聖全・一・三六三）に「各々有リ浴池」と。
第二首は、『讃偈』（真聖全・一・三六四）に「三塗苦難ノ」と。

【要　義】如来の報土をば安楽（スクハーヴァティー）の国と申しあげるのである。私たちはこの国を開いて、私たちをお導き下される仏徳を仰がずにはいられません。

## 五、結示讃意（同乗一如）

【本　文】

【四七】
十方三世の無量慧　おなじく一如に乗じてぞ
二智円満道平等　摂化随縁不思議なり

【四八】
弥陀の浄土に帰しぬれば　すなはち諸仏に帰するなり
一心をもちて一仏を　ほむるは無㝵人をほむるなり

【四九】
信心歓喜慶所聞　及暨一念至心者
南無不可思議光仏　頭面に礼したてまつれ

【五〇】
仏慧功徳をほめしめて　十方の有縁にきかしめん
信心すでにえんひとは　つねに仏恩報ずべし

【讃　意】　第一首は、諸仏のさとりは平等であって区別なく、ただ摂化縁に随って別のあることを述べる。

第二首は、弥陀の浄土に帰依し、讃嘆するのは、即ち一切諸仏の国土に帰依し、讃嘆するに同じであるから、ひとえに弥陀に帰依し讃嘆するも、あえて偏執ではないことを述べるのである。

第三首は、信心を獲得し、仏恩報謝のために恭敬礼拝すべきであることを勧めるのである。

第四首は、弥陀の功徳を讃嘆するのは、ひとえに仏恩を報ぜんがためであることを示し、以て他のこれにならわんことを勧むのである。

【語　釈】

◎無量恵……量りなき智恵のこと。即ち仏に種々の功徳があるが、智恵の徳を以て報身の体とするゆえ、特にこれをあげて仏名とする。○摂化随縁不思議……摂化とは摂受化益であって、仏が衆生を摂めとって化益されること。随縁不思議とは、衆生の機縁に随い、摂化したもうはたらきの不思議なることである。◎乃暨一念至心者……乃暨一念至心なる者とよむ。乃暨の暨は、至也及也と註され、乃至と云うに同じ。一念とは名号を聞信する一念。至心者とは、仏の真実心を獲得したところの信心の行者。即ち乃暨一念至心者とは、名号のいわれをすなおに信受して、少なきはせめて一念、多くは一生涯の間、聞くところをよろこび、歓喜相続する信心の行者ということ。◎仏恵功徳……仏恵とは、阿弥陀仏の真実智恵。功徳とは、上来讃嘆するところの依正二報の功徳。

【出　拠】

第一首は、『讃偈』（真聖全・一・三六五）に「十方三世ノ」と。

第二首は、『同』（真聖全・一・三六五）に「我帰二スルハ阿弥陀ノ浄土一ニ」と。

第三首は、『讃偈』（真聖全・一・三五七）に「諸アラユルモノ聞二キテ阿弥陀ノ徳号一ヲ」また『同讃』（真聖全・一・三六五）に「南二無シ不可思議光一ニ」の文。

第四首は、『讃偈』（真聖全・一・三六五）に「我讃二ズ仏恵功徳ノ音一ヲ」の文である。

**【要　義】**

第一首は、横に十方にわたり、竪に三世を通して、数えられないほどの諸の仏も、みな阿弥陀如来の本願の真実に乗って、そのさとりを全うし、権実の二智まどかに、その徳も平等であって、各々縁に随って、自在にそのおしえのはたらきを衆生におそそぎ下さいます。

第二首は、それであるから、阿弥陀如来は諸仏の本仏であって、その安養の浄土は、諸の仏土の本国である。それゆえ一心をささげて、この如来を讃嘆するのは、即ち諸仏を讃嘆するのであって、その浄土にむかうのは即ち諸仏の浄土を礼し奉るのである。そこに一切の徳がそなわる。私たちは、いよいよ礼讃のうやまいをわが如来にささげずにはいられない。已上四十八首　愚禿親鸞作。上来讃じ来たもの『讃阿弥陀仏偈』に依って四十八首になることを結び、因みに撰号を置きたもうのである。

# 第四章　三　経　讃　三十六首

序

阿弥陀如来

釈迦牟尼如来

頻婆娑羅王

提婆尊者

観世音菩薩

大勢至菩薩

富楼那尊者

大目犍連

阿難尊者

韋提夫人

耆婆大臣

月光大臣

阿闍世王

雨行大臣

守門者

三経讃に入る前に、二仏十三聖を列す。これはなぜか。もし三経に通ずる聖者ならば、大経に主とする弥勒菩薩、小経に主とする舎利弗を出せばよいのに、観経教興の聖者のみを出すはいかなるわけか。これは、往生浄土の法門は直ちに現今この世界に住む衆生に大利益をあたえるものなることを示すためである。弥陀等の三尊は、観経第七観の説相に依られたもので、弥陀は摂取衆生の本体、機を誘引調熟するを観音とし、疑を断じて仏智に明らかならしむるものは勢至の徳である。次の釈迦牟尼如来とは王宮降臨の教主、阿難目連は世尊の侍者、富楼那は王のために説法せられた尊者、頻婆娑羅王はこれ遇害の主、韋提夫人は内眷属で王に従って害に遇うた人。耆婆月光はその外眷属で夫人のために諍争せしめし人、提婆阿闍世は逆悪を以て師弟となり、雨行守門はこれの助伴人である。

浄土和讃　　愚禿親鸞作。

この題号は三経和讃の総題である。

# 一、大経讃　二十二首

## (一) 阿難請問

【本文】【五一】

尊者阿難座よりたち　世尊の威光を瞻仰し
生希有心とおどろかし　未曾見とぞあやしみし

【五二】

如来の光瑞希有にして　阿難はなはだこゝろよく
如是之義ととへりしに　出世の本意あらはせり

【讃意】第一首は、阿難尊者が、釈尊の日頃に異なる威神光明を仰ぎ見て、心中におどろき、あやしみしことを讃ず。

第二首は、前に阿難のおどろきあやしみて問いたてまつったことをあげたのであるから、いまその問うところ、仏のおこころにかない、出世の本意をあらわしたもうことを讃ず。

【語釈】◎瞻仰……瞻は視なりと註し、首をあげて下から上へ仰ぎみるを瞻仰という。○未曾見とぞあやしみし……未だ曾て見ないことぞとあやしみしこと。◎如是之義……かような如来の奇瑞はいかなるわけであるかと問い奉ったこと。

【出拠】第一首は、『大経』（真聖全・一・四）に「爾時世尊」と。この和讃の語は、『如来会』の文にとられたものである。

第二首は、『大経』（真聖全・一・四）に「唯然大聖我心念言」と。

【要義】第一首は、『大経』の当意は、仏の讃辞であるが、転用して阿難の問いとする。

第二首は、阿難の請問は、まことにこれ、仏がこの世に出で給うた本意をあらわしたもうた本となったのである。

## （二）如来応答

【本文】【五三】

大寂定にいりたまひ　如来の光顔たへにして
阿難の恵見をみそなはし　問斯恵義とほめたまふ

【五四】

如来興世の本意には　本願真実ひらきてぞ
難値難見ときたまひ　猶霊瑞華としめしける

【讃意】第一首は、釈迦如来が阿難の問いを讃えたもうことを述べる。

第二首は、釈迦如来この土に出現されたもうた本意は、弥陀の本願を説かんがためであることを述べる。

【語釈】◎大寂定……大寂とは生滅の相をはなれたところの大涅槃。定は心を静めて一境にとどまらしむること。いまは釈尊が大涅槃をさとりたまえる阿弥陀仏を念じ、阿弥陀仏と等しい徳をあらわしたまうこと。◯興世の本意……この娑婆にあらわれたもう根本の正意ということ。◯難値難見……仏の出世にまうあいがたく、また仏を見たてまつることのかたいこと。

【出拠】第一首の初句は『如来会』（真聖全・一・一八六）の「入リテ二大寂定ニ一」に、後三句は魏訳『大経』（真聖全・一・四）「愍二念セントシテ衆生ヲ一」の文に依る。

第二首は、『大経』（真聖全・一・四）に「如来以テ二無蓋大悲ヲ一」に依る。

【要義】第一首は、釈尊が弥陀本願の法を説かんと欲して弥陀三昧に入り給うたことによって、その徳用外にあらわれて光顔巍々とした妙相をあらわしたもうた。

第二首は、釈尊がこの世界にお出ましになられた本意は、まったく弥陀の本願真実の法を説かんがためである。仏出世の本意である本願真実の法に遇いがたいことを知るべきである。

## （三）本願超異（十劫久遠）

【本文】【五五】弥陀成仏（みだじやうぶち）のこのかたは　いまに十劫（じふこふ）とときたれど

【五六】

塵点久遠劫よりも　ひさしき仏とみへたまふ
南無不可思議光仏　饒王仏のみもとにて
十方浄土のなかよりぞ　本願選択摂取する

【讃意】第一首は、阿弥陀仏は久遠の昔に成道された古仏なることを讃ず。
第二首は、阿弥陀如来が、因位において、諸仏の浄土中より選択して、本願を建てたまいしことを讃ず。

【語釈】◎塵点久遠劫よりも……塵点とは微塵の点ということ。即ちこの世界を砕いて微塵となし、それを墨にして数どりをする劫数で、久しい遠い時間のこと。よりもとは、従の意で、からよりということ。◎選択摂取……選択とは、選び択んで悪しきを捨て、善きを取ること。摂取とは、善きことのみをおさめとること。

【出拠】第一首は、『大経』（真聖全・一・一五）に「阿難又問」
第二首は、『大経』（真聖全・一・七）に「世自在王仏」

【要義】第一首は、大経の中に阿弥陀仏成仏以来凡そ十劫を経たと説いてあるが、義を以て推すれば、実に塵点久遠劫の古仏にてましります。
第二首は、その仏が衆生救済のために法蔵菩薩となり、世自在王仏を師として十方諸仏土中より最も勝れたものを選び出してついに諸仏に超異せるところの不共の本願を建てたもうたのである。

## (四) 真実利益（女人成仏）

【本　文】

【五七】
無碍光仏のひかりには　清浄・歓喜・智慧光
その徳不可思議にして　十方諸有を利益せり

【五八】
至心・信楽・欲生と　十方諸有をすゝめてぞ
不思議の誓願あらはして　真実報土の因とする
（本願のこゝろ　第十八の選択本願なり）

【五九】
真実信心うるひとは　すなはち定聚のかずにいる
不退のくらゐにいりぬれば　かならず滅度にいたらしむ
（滅度：ネチハンノサトリヲヒラクナリ）

【六〇】
弥陀の大悲ふかければ　仏智の不思議をあらはして
変成男子の願をたて　女人成仏ちかひたり
（三十五の願のこゝろなり）

【讃　意】　第一首は、因位の誓願成就して果上の仏とならせたまいて、光明の利益あまねく十方に及ぶことを讃ず。

第二首は、至心信楽欲生の三信を以て、衆生往生の正因と誓いたもうた第十八願のこころを讃ず。

第三首は、第十一願のこころにより、信心を得た者は、現生においてただちに正定聚不退の位に入り、未来かならず滅度の果をさとることを讃ず。

第四首は、第三十五願のここによって、弥陀の大悲、障重の女人を成仏せしめたもうことを讃ず。

【語釈】◎十方諸有……因願に「十方衆生」、成就文に「諸有衆生」とあるのをあわせて取られたもの。◎真実報土の因……三信を以て真実報土に往生する因となしたもうこと。真実報土とは、真実の誓願に報うた浄土で、方便化土を簡ぶ。◎不退のくらい……不退転という。既に得た功徳が転じ退かない位で、正定聚と名は異っているが体は同じ。◎変成男子の願……第三十五願のこと。変は転変の意で一切の女人を、命終るとともに変じて、男身(なんしん)をなさしむる誓願。

【出拠】第一首は、『大経』(真聖全・一・一六)に「其有二衆生一」。義の上からは第十七願成就が関係あり。

第二首は、『大経』(真聖全・一・九)に「設我得レ仏」と。この和讃の冠註に「本願のこころ、第十八の選択本願なり」と示されてある。

第三首は、『大経』（真聖全・一・九）に「設我得レ仏」（第十一願文）とある。

第四首は、『大経』（真聖全・一・一二）に「設我得レ仏」と。（第三十五願文）

【要　義】

第一首は、無礙光仏の光明には清浄・歓喜・智恵の三徳を具す。その光力を以て十方衆生を摂化して往生即成仏せしめ給うこと、まことに不思議の徳と申さねばならない。

第二首は、弥陀は、三信を以てわれら凡夫の真実報土に往生する正因としたもうたことを讃ず。

第三首は、行者はこの他力信心を獲る時は、その一念に正定聚の数に入って往生治定する。

第四首は、このように弥陀の大悲心深重であるから、十方諸仏の悲願に漏れたところの女人を仏智の不思議をあらわして悉く変じて男子となし、滅度のさとりを得しむ。

## （五）　第十九願意（不来迎義）

【本　文】　【六一】

十九の願のこゝろ　諸行往生なり

至心・発願・欲生と　十方衆生を方便し

衆善の仮門ひらきてぞ　現其人前と願じける

【六二】

臨終現前の願により　釈迦は諸善をことごとく
『観経』一部にあらはして　定散諸機をすゝめけり

【六三】

諸善万行ことごとく　至心発願せるゆへに
往生浄土の方便の　善とならぬはなかりけり

【讃意】第一首は、衆生を調機誘引せんために、仮りに諸善万行を以て往生すべき一門をひらき、臨終来迎を誓わせられる第十九願のこころを讃ず。

第二首は、方便仮門を明かす中の第二、即ち釈迦の開説。釈迦如来が観経において、第十九願のこころを説きのべられたことを讃ず。

第三首は、方便仮門を明かす中の第三、即ち要門の願功をあらわす。即ち第十九願の功によって、聖道の諸善万行が、浄土往生の行となることを讃ず。

【語釈】◎方便……権仮方便のこころ、即ち仏の本意ではないが、調機誘引のために施設せられること。○現其人前……その人の前にあらわれんとよむ。即ち第十九願に修諸功徳の行者が命終らんとするとき、阿弥陀仏が大衆とともにその人の前にあらわれ、浄土へ迎えとらんと誓われたこと。◎臨終現前の願……命終らんとするとき、その人の前にあらわれて、来り迎えんと誓いたもう第十九願のこと。

【出拠】第一首は、『大経』（真聖全・一・九）に「設我得仏」と。第二首は、『観経』顕説の意に依る。善導の『玄義分』（真聖全・一・四四三）に「娑婆化主」と。これ釈迦の開説を示す。第三首は、第一首の出拠と同じ。第十九の願功を明かす。

【要義】第一首は、十方衆生を調機誘引せんがために諸行往生の仮の門を開設したもうたのであることを讃ず。

第二首は、釈尊はこの第十九願にもとづいて、観経一部に定散諸善を説きあらわし、定散の機類を浄土に往生せしめんと勧誘したもうことを讃ず。

第三首は、定散の諸善万行はもと聖道門の行である。しかるにこれが浄土往生の方便の善となるは、第十九願に真実心を以て諸善万行を修し、弥陀の浄土に往生せんと願えば、必ず迎えとると誓いたもうによるのであることを讃ず。

## （六）第二十願意（定散自力）

【本文】【六四】二十の願のこゝろなり　自力の念仏を願じたまへり
至心・廻向・欲生と　十方衆生を方便し

【六五】

名号の真門ひらきてぞ　不果遂者と願じける
果遂の願によりてこそ　釈迦は善本徳本を
『弥陀経』にあらはして　一乗の機をすゝめける

【六六】

定散自力の称名は　果遂のちかひに帰してこそ
おしへざれども自然に　真如の門に転入する

【讃意】　第一首は、自力念仏の機を誘引摂化したもう第二十願のこころを示す。

第二首は、釈迦如来が阿弥陀経において、第二十願のこころを説き述べられたことを示す。

第三首は、第二十願の功によって、自力念仏の行者は、自然に弘願真実に転入することを示す。

【語釈】　◎方便……自力念仏の機も漏らさず、報土に往生せしめんと、仮りに方便の願を建てさそい導きたもうこと。〇ひらきてぞ……自力念仏の往生する道を開顕して、第十八願に誘引したもうこと。◎果遂の願……第二十願を指す。〇すすめける……自力念仏の機を方便誘引せしめたもうこと。◎定散自力の称名……定心・散心を以て名号を称え、その功徳を以て往生しようと願う自力念仏。

【出　拠】第一首、第二首、第三首ともに『大経』（真聖全・一・一〇）に「設我得仏」と。

【要　義】第一首は、弥陀は第二十願に自力称名の真門を開き、ついには第十八願に引入し、真実報土に往生せしめずば正覚を取らじと誓われている。

第二首は、釈尊は弥陀の第二十願意を承け、善本徳本の名号を称えて往生せよということを阿弥陀経に説きあらわして自力念仏の機を勧誘されてある。

第三首は、たとい定散心の機であるというても、ひとたび果遂の誓いに帰入した上は、この願力によって第十八願の弘願に転入せしめたもうのである。

## （七）疑惑過失

【本　文】【六七】

安楽浄土をねがひつゝ　他力の信をえぬひとは
仏智不思議をうたがひて　辺地・懈慢にとまるなり

【讃　意】他力信心を獲得しないものは、仏智を疑う過失によりて、方便化土にとどまることを讃ず。

【語　釈】○辺地懈慢……辺地は浄土のかたほとり、懈慢は懈怠憍慢で、仏智を信じないものの生れるところ。ともに方便化土の名。

【出　拠】『大経』（真聖全・一・四三）に「若有衆生」と。

【要　義】　要門及び真門の機は、安楽浄土を願生すというとも、いまだ他力の信心を獲得しないものであるから、仏智疑惑の過失により、化土に止まって真土に進み入ることができない。さればすべからく疑いを除いて真実信心に入るべきである。

## （八）　弘願難信

【本　文】【六八】　如来の興世にあひがたく　諸仏の経道きゝがたし
菩薩の勝法きくことも　無量劫にもまれらなり

【六九】　善知識にあふことも　おしふることもまたかたし
よくきくこともかたければ　信ずることもなをかたし

【七〇】　一代諸教の信よりも　弘願の信楽なをかたし
難中之難とときたまひ　無過此難とのべたまふ

【讃　意】　第一首は、仏に遇い、法を聞くことの難いことを讃ず。
第二首は、善知識に遇い、法を聞き信ずることの難いことを讃ず。
第三首は、弘願を信ずること最も難く、これにすぎたる難なきことを讃ず。

【語　釈】　○諸仏の経道……諸仏の説きたもう教法。経とは常也と訓じ、いつまでもかわらぬこと。道とは履み行うべき道で、仏の教えは古今にわたって変ることなく、一切衆生の行うべき道のゆえに経道という。◎一代諸教……代は更のことで、かわること、即ち釈尊一代五十年の説法。

【出拠】第一首、第二首、第三首共に『大経』（真聖全・一・四六）に「仏語リタマハク弥勒ニ」に依る。

【要義】第一首は、仏の出世に遇うこと、聖道一乗法を聞くこと、菩薩の勝法である六度万行の教えを聞くこと、これらはみな無量億劫にも希有のことである。

第二首は、また善知識に遇うこと、他に対して教えること、並びに法を聞くこともみな難事であるから、深く信ずることのなお難事であることは言うまでもない。

第三首は、かくのごとく一代諸教は信じがたいが、弥陀弘願の信楽はなお一層難く、まことに難信中の難信である。これによってみるに、弘願の一乗法は最も真実殊勝なるものであると言わなければならない。

## （九）対弁勧誡

【本文】【七一】

念仏成仏これ真宗　万行諸善これ仮門

権実真仮をわかずして　自然の浄土をえぞしらぬ

【七二】

聖道権仮の方便に　衆生ひさしくとゞまりて

諸有に流転の身とぞなる　悲願の一乗帰命せよ

【讃意】第一首は、真実と権仮とを弁別すべきであることを讃ず。

第二首は、聖道権仮の方便をすてて、浄土真実の法に帰せんことを勧む。

【語釈】◎念仏成仏……念仏は因であり、成仏は果、即ち念仏とは、信心が口にあらわれたところの称名であって、第二句の万行に対す。○仮門……仮は権仮で、聖道門は浄土真実に入る方便階梯であることを云う。○諸有……三界二十五有の迷界。◎流転……迷界に流浪しまわること。御左訓にさすらふ反うつりうつる。

【出拠】第一首、第二首ともに『大経』（真聖全・一・四六）の「是故我法」の文に依る。

【要義】第一首は、仏一代の教えを大別して聖道と浄土の二門とする。浄土門は他力念仏によって成仏する真実教であるに対し、聖道門は万行諸善の自力修行によって成仏せんとする方便教である。しかるに世の人はこの真実と権仮とを弁えないからして、無為自然の真実報土に往生することを知らないのである。

第二首は、末代の衆生はこのように真仮を弁えないからして、権仮方便の聖道門に止まり、しかも自力かなわずして諸有に流転するのである。われわれはよろしく聖道権仮の法をすてて弥陀悲願の一乗法に帰すべきである。

# 二、観経讃 九首

## (一) 韋提別選(韋提別選)

【本文】【七三】

恩徳広大釈迦如来　韋提夫人に勅してぞ
光台現国のそのなかに　安楽世界をえらばしむ

【讃意】 韋提夫人が釈尊の密勅をうけて、十方仏国の中より特別な安楽世界を選んで、往生を求められたことを讃ず。

【語釈】 ○恩徳広大……大慈悲をもって衆生を摂化したもう恩徳の広大なこと。○光台現国……光台とは光明の変じて台となれること。現国とは諸仏の国土にあらわれること。

【出拠】 『観経』(真聖全・一・五〇)に「爾時世尊」と。

【要義】 恩徳広大なる釈尊は韋提夫人のために光明を放ちその中に十方諸仏の国土を現じ、その好むところを選ばしむ。しかるに夫人が諸仏土を捨て弥陀浄土を願ったのは、末代の凡夫の往生すべきところは唯安楽世界のみなりとの釈尊の慈悲善巧の教化によったのである。

## (二) 闍王興逆

【本　文】

【七四】　頻婆娑羅王勅せしめ　　宿因その期をまたずして
仙人殺害のむくひには　　七重のむろにとぢられき

【七五】　阿闍世王は瞋怒して　　我母是賊としめしてぞ
無道に母を害せんと　　つるぎをぬきてむかひける

【七六】　耆婆・月光ねんごろに　　是旃陀羅とはぢしめて
不宜住此と奏してぞ　　闍王の逆心いさめける

【七七】　耆婆大臣おさへてぞ　　却行而退せしめつゝ
闍王つるぎをすてしめて　　韋提をみやに禁じける

【讃　意】

第一首は、阿闍世王が、父頻婆娑羅王を幽禁せし顚末を讃ず。

第二首は、阿闍世王が怒って、その母韋提希夫人を殺さんとすることを讃ず。

第三首は、耆婆・月光の二臣、母を害せんとする阿闍世王を切諫したことを讃ず。

第四首は、闍王、臣下のいさめにより母を害することを中止したが、余瞋なおやまず、これをおしこめたことを讃ず。

【語釈】○瞋怒……御左訓に「おもてのいかり、こころのいかり」とあり、はげしく怒ること。○不宜住此……よろしくここに住すべからずとよむ。◎却行而退……却行して退くと読む。即ちあとすざりすること。

【出拠】第一首、第二首、第三首、第四首は『観経』（真聖全・一・四八）「有二一太子一名二阿闍世一」の文、『同』（真聖全・一・四九）「時阿闍世」の文。『同』（真聖全・一・四九）「王聞二此語一」の文に依る。

【要義】この四首は、極悪人をも救う観経の興起因縁を示さんとして、経の序文に説かれた王舎城中の禁父禁母の縁を明かすもので、所説の悪逆人は今日罪障の我等である。しかしてこのような濁悪な者も弥陀の摂取には漏れることはできないことを示す。初一首は禁父縁で、阿闍世が逆害を起して父王を禁ずることを明かし、第二首以下は更にその母をも禁ずることを明かす。頻婆娑羅王は相師の占によって使を山中に遣わし、三年の後に寿終って王子として生るべき仙人を、その寿終を待たずして殺したので、その報いとして太子は父王を七重の深宮に幽閉す。阿闍世王は或時門守に向って父子猶生きているかと問うと、門守は夫人常に密に食を運ぶことを告ぐ。闍王怒って我母はこれ賊なりと罵り、剣を抜いて母を害せんとす。そのとき耆婆・月光の二臣諫めて曰く、古来父を害した者があるが母を害したものはない。もし無道にも母を害するは許しがたいと諫言す。阿闍世は剣を捨てたが余憤止まず、夫人を深宮に禁固す。

### （三）諸聖巧化

【本　文】【七八】

弥陀・釈迦方便して　阿難・目連・富楼那・韋提

達多・闍王・頻婆娑羅　耆婆・月光・行雨等

【七九】

大聖おの〱もろともに　凡愚底下のつみびとを

逆悪もらさぬ誓願に　方便引入せしめけり

【八〇】

釈迦・韋提方便して　浄土の機縁熟すれば

雨行大臣証として　闍王逆悪興ぜしむ

【讃　意】第一首は『観経』の化儀を助けた諸聖の名をつらねる。

第二首は、聖者おのおの異相を現じ、順逆相たすけて衆生を弥陀本願に方便引入せしめたことを讃ず。

第三首は、浄土教の巧化をあぐる中、第三に浄土縁熟で、浄土教の機縁純熟して、闍王の逆害が興ることを讃ず。

【語　釈】◎逆悪興ぜしむ……逆悪とは御草稿本左訓に「五逆のこころをおこすなり」とある。

即ち父王を殺害する心を起こしたこと。

【出拠】第一首、第二首、第三首には、ここぞという出拠の文はないが、主として『観経』一部の微意をさぐり、傍ら『涅槃経』のこころなどによって讃ぜられたのである。

【要義】第一首は、弥陀釈迦二尊一致して弘願法をこの世に弘めるがために、善巧方便して阿難・目連・富楼那・韋提等、その他の人々をこの世に出現せしめたもうたのである。

第二首は、よってそれらの人々は外相は種々に異るが、みな心は一つであって、全く凡夫をして本願に誘引したもうのである。

第三首は、釈尊・韋提希夫人等がこのように善巧方便して浄土往生の法門を受けるべき機縁が熟したことに乗じて、雨行大臣は阿闍世王に対して提婆の言を証明し、ために闍王は禁父、禁母の大罪をなしたのである。この時釈尊は韋提に対し、このような極悪の者こそ弥陀本願の正機であると示し、ここに逆悪摂取の法は説きのべられたのである。

## （四）廃立経意

【本文】【八一】定散諸機各別の　自力の三心ひるがへし

如来利他(にょらいりた)の信心(しんじむ)に(ホングワンシンジチノシンジムナリ)　通入(つうにふ)せんとねがふべし

【讃　意】自力の三心ひるがえして、他力信心に通入すべきことを勧む。

【語　釈】○定散諸機……定善十三観を修する機と、散善三福を修する機。○各別……根(こん)の上下、行の優劣に随って、その信に浅深不同があるから、各別という。○如来利他の信心……『観経』隠彰のこころである三心で、第十八願の三心と同じく、三心即一の信心。利他とは他を利することで他力のこと。

【出　拠】『観経』(真聖全・一・六〇)の「一(ニハ)者至誠心」の文を基にして『同経』(真聖全・一・六六)流通分の「汝好(ク)持(テ)二是語(ヲ)一」の文、及び善導の『散善義』(真聖全・一・五五八)の「上来雖(モ)レ説(クト)二定散両門之益(ヲ)一」の意をとって造られたものである。

【要　義】観経には顕説の要門の自力の三心を廃して、弘願他力の信心を勧めたもうがゆえに、定散諸機各別の自力の三心をすてて、如来廻向の信心に帰入せんと願うべしと勧めたもうのである。

# 三、小　経　讃　五首

## （一）弥陀名義（弥陀名義）

【本　文】【八二】

十方微塵世界の　念仏の衆生をみそなはし
摂取してすてざれば　阿弥陀となづけたてまつる

【讃　意】光明を以て衆生を摂取すること、これ阿弥陀仏の名義であることを讃ずる。

【語　釈】〇十方微塵世界……十方にわたって微塵の数ほどある世界。〇念仏の衆生……他力念仏の衆生で、信を得て念仏するもの。〇みそなはし……照らし観たもうこと。〇摂取……光明の中に念仏の衆生をおさめとること。

【出　拠】『阿弥陀経』（真聖全・一・六九）に「舎利弗、於汝意云何」と云い、『観経』の真身観に「光明遍照」とあるを、善導の『礼讃』にうけて「問曰、何故号阿弥陀」とある。いまは主として『礼讃』の文意によって『阿弥陀経』のこころをあらわしたのである。

【要　義】阿弥陀仏は十方無量の世界の他力念仏の衆生を観たまいて、その衆生を光明中に摂取して捨てたまわないからして、阿弥陀と号したてまつるのである。

## （二）諸仏勧証（嫌貶開示、証誠護念）

【本　文】【八三】
恒沙塵数の如来は　万行の少善きらひつゝ
名号不思議の信心を　ひとしくひとへにすゝめしむ

【八四】
十方恒沙の諸仏は　極難信ののりをとき
五濁悪世のためにとて　証誠護念せしめたり

【八五】
諸仏の護念証誠は　悲願成就のゆへなれば
金剛心をえんひとは　弥陀の大恩報ずべし

【讃　意】第一首は、諸仏の本意は弥陀にあって、余行でないことを述べる。

第二首は、諸仏が濁悪の衆生のために、証誠護念したもうことを述べる。

第三首は、諸仏の証誠護念はそのもとづくところ、第十七願に依るものであるから、末をおさめて本に帰し、弥陀本仏の恩に報ゆべきをすすめる。

【語　釈】◎恒沙塵数の如来……恒河の砂や微塵の数ほどあるはかりなき十方の仏たち。○証誠護念……証誠とは証明誠実のことで、虚偽をはなれた誠実の言葉を以て証拠に立ちたもうこと。護念は、念力を以て覆い護られること。◎悲願成就……悲願とは慈悲の本願ということで第十七願を指す。つまり第十七願の成就するすがたが諸仏の証誠護念となってあらわれたのである。

【出拠】第一首は、『小経』（真聖全・一・六九）に「不レ可下以テ二少善根福徳因縁ヲ一」と『同』（真聖全・一・七〇）「舎利弗」等とあって、六方の諸仏の証誠護念を説いた文に依る。

第二首と第三首は『小経』六方段（真聖全・一・七〇）の文と『小経』（真聖全・一・七〇）「舎利弗」の文の語勢にならって造る。

【要義】第一首は、十方世界の無量の諸仏は、万行の少善を以ては弥陀の報土に往生できないとこれをきらい、ただ仏よりたまわる広大威徳の名号をいただけよとひとしくこれをすすめて下さる。

第二首は、十方恒沙の諸仏は、釈尊が信受するのみで往生すると説きたもうたことを証明し護念したもうのである。

第三首は、このように諸仏が証誠護念したもう本をたづぬれば、まったく弥陀が第十七願に諸仏に称揚せられんと誓いたもうたことに依るものであるから、金剛堅固の信心を得るものは弥陀の大恩を報ずべきであることを述べる。

## （三）濁悪出離

【本文】【八六】五濁悪時悪世界（ごぢょくあくじあくせかい）　濁悪邪見（ぢょくあくじゃけん）の衆生（しゅじゃう）には

弥陀の名号あたへてぞ　恒沙の諸仏すゝめたる

【讃　意】濁悪の衆生には弥陀の名号のほかには出離の道はないことを述べる。

【語　釈】○五濁悪時悪世界……五濁悪時とは、五濁の盛んである悪時節ということで、時の悪いことをあらわし、悪世界とは、処の悪いことを示す。○には……ものをかぎる意味で、名号をあたえる外にはほかに道のないことをあらわす。

【出　拠】さきにあげた和讃の出拠として出した『小経』の文意や、『散善義』（真聖全・一・五三七）「十方ニ各々有マシテ二恒河沙等諸仏一」の文に依る。

【要　義】今日のわれわれ凡夫は、時は五濁悪時、処は悪世界であり、まことに濁悪邪見の衆生である。このような凡夫の出離の要道はただ弥陀名号のみと釈尊は説かれている。これによってすでに十方の諸仏もみな釈尊に同じく、我々衆生の往生は、唯弥陀名号によるのみであると勧めたもうのである。

# 第五章　諸経讃　九首

## 一、仏徳讃嘆　三首

**【本文】**

【八七】
無明の大夜をあはれみて　法身の光輪きはもなく
無导光仏としめしてぞ　安養界に影現する

【八八】
久遠実成阿弥陀仏　五濁の凡愚をあはれみて
釈迦牟尼仏としめしてぞ　迦耶城には応現する

【八九】
百千倶胝の劫をへて　百千倶胝のしたをいだし
したごと無量のこゑをして　弥陀をほめんになをつきじ

**【讃意】**　第一首は、安養界に影現なされる弥陀報身の徳を讃ず。
第二首は、安養影現の仏、即ちこの娑婆に応現して釈迦牟尼仏と名づけることを讃ず。
第三首は、『称讃浄土経』により阿弥陀仏の徳を讃じてもなおつくしがたいことを示す。

【語釈】◎無明の大夜……煩悩の根本を無明と申し、これを大夜闇にたとえる。草稿本左訓には「ぼむなうのわうを、むみやうといふなり」とある。〇百千倶胝……百千は百を千集めたことで十万と同じ。倶胝は梵語で億ということ。つまり百千倶胝とは、十万億ということに同じ。〇したごと無量のこえをして……百千倶胝の数多き舌の、一つ一つに無量の声を出すこと。

【出拠】第一首、第二首は、『法華経』「寿量品」の「我実成仏已来」と「我成仏已来」に依る。

第三首は、『阿弥陀経』の異訳『称讃浄土経』の「仮使経於百千倶胝那由多劫」の文。

【要義】第一首は、真如の理に暗い無明の衆生をあわれみて、これを救わんがために、尽十方無碍光如来と云われる光輪限りない身を安養界に示現したもうのである。

第二首は、久遠実成の阿弥陀仏が、凡夫を救うために印度迦耶城に釈迦仏となってあらわれて下されて、弥陀法を説いて下されたのである。

第三首は、その弥陀の仏徳は無量劫の間をついやし、無量の舌を出し、その舌毎にまた無量の声を出して功徳を讃嘆するも、その徳は広大無辺であってなおつくすことができないことを示す。

## 二、行者証悟（信心仏性）六首

【本　文】

【九〇】大聖易往とときたまふ　浄土をうたがふ衆生をば
無眼人とぞなづけたる　無耳人とぞのべたまふ

【九一】無上上は真解脱　真解脱は如来なり
真解脱にいたりてぞ　無愛無疑とはあらはる

【九二】平等心をうるときを　一子地となづけたり
一子地は仏性なり　安養にいたりてさとるべし

【九三】如来すなはち涅槃なり　涅槃を仏性となづけたり
凡地にしてはさとられず　安養にいたりて証すべし

【九四】信心よろこぶそのひとを　如来とひとしとときたまふ
大信心は仏性なり　仏性すなはち如来なり

【九五】

衆生有礙のさとりにて　無导の仏智をうたがへば
曾婆羅頻陀羅地獄にて　多劫衆苦にしづむなり

**【讃意】** 第一首は、『目連所問経』の説に依って易往の浄土を疑うものは、眼なき人と名づけよう。耳なき人と名づけよう、と申されている。

第二首は、真実報土に往生すれば、真解脱にいたり、愛疑をはなれることを述べる。

第三首は、真実報土に往生すれば、平等心を得て利他大悲の徳のあることを述べる。

第四首は、如来と云い、涅槃と云い、仏性と云い、その体はもと一つであって、安養に至って証得すべきことを述べる。

第五首は、信心の勝徳を挙げて、信心を以て仏果を証するゆえんを示す。

第六首は、仏智を疑い謗るものは、堕獄の苦を受けることを述べる。

**【語釈】** ◎大聖……大なる聖者のことで釈尊のこと。◎無上上……無上の無上というこころで、この上もない証果としての仏果のこと。これ等覚にえらぶこころがあって、等覚は因位の最上位であるから、十地已下に対すれば無上であるが、仏果に対すれば有上である。いまは無上つまり等覚の無上であるから、最究竟の仏果である。〇無愛無疑……愛は愛着、疑は疑惑のことで、無上涅槃をさとればその上さらにねがひ求むるところはないから、愛着をはなれ、また諸法の実相を明らかに知悉するから疑惑をはなれる。御左訓に「よくのこころなし、うたがふこころなし」とある。〇一子地……一切の衆生をわが一人子の如くあわれむ心の起るをいう。御草稿本左訓に「三がいのしゆじやうを、わがひとりごとおもふことをうるを、いちしぢといふなり」とある。〇仏性……浄土でさとる仏の果性のこと。◎有礙のさとり……有礙とは、さわりあるということで、凡夫の知恵ではすべてを知りつくされないこと。即ち凡夫の浅い了見というに同じ。さとりとは、智恵のこと。〇多劫衆苦……永い時間多くの苦しみを受けることで、御草稿本左訓に「ぶちほふをそしるもの、このぢごくにをちて、はちまんごふを住す。だいくなうをうく」とある。

**【出拠】** 第一首、第二首、第三首、第四首は、『目連所問経』の「仏告ゲタマハク二目連ニ一」の文、また、『北本涅槃経』の「解脱者ハ名ク二無上上ト一」の文によって、西方浄土のさとりの徳を称讃されるものである。

第五首、第六首は、『華厳経』の「聞ク二此ノ法ヲ一」と、『安楽集』（真聖全・一・四〇〇）の「一切ノ万法ハ」の文に依る。

**【要義】** 第一首は、釈尊は浄土はまことに往き易しと説かれている。これを疑う衆生は、眼なき人と名づけ、耳なき人と述べ給うている。

第二首は、無上上の仏果は真実の解脱である。この解脱の位に至った者は如来である。ここに到って二利を成就することができる。

第三首は、この一切衆生を平等にあわれむ心の生ずる位を一子地と名づく。この一子地は仏性であって、安養浄土においてさとりうるところの妙果である。

第四首は、如来は即ち真実仏果の極要としての涅槃である。涅槃を仏性と名づける。これは凡夫の世界においてはさとられず、安養においてさとり得るところのものである。第五首は、信心を領受して歓喜する人は往生し、如来となるべき者であるから、この世にありながら如来と等しと説かれたのである。何となれば、如来よりたまわった信心は仏性であり、仏性は即ち如来であるからである。

第六首は、ところがこれに反して、衆生が煩悩障礙の心を持って、自力の心により無礙不思議の仏智を疑えば、地獄に堕ちて多劫の間、諸の苦を受けねばならない。だから諸経をいただきそこなって、往生の大事をあやまってはならない。

# 第六章　現益讃　十五首

## 一、鎮護国家（現益義相）　二首

【本　文】【九六】

阿弥陀如来来化して　息災延命のためにとて
『金光明』の寿量品　ときおきたまへるみのりなり

【九七】

山家の伝教大師は　国土人民をあはれみて
七難消滅の誦文には　南無阿弥陀仏をとなふべし

【讃　意】第一首は、阿弥陀如来がこの世にあらわれて、息災延命の法をお説きになることを示す。

第二首は、伝教大師が嵯峨天皇の御たづねに対して、七難消滅の法は南無阿弥陀仏を称えるにすぎたものはないとお答えなされたことを述べる。

【語　釈】◎来化……来現悲化、つまりこの世に来りあらわれて、衆生をあわれみ化益したもうこと。御左訓に「きたり、あはれみたまふ」とある。◎七難消滅……七難とは、七種の災難のこと。消滅とは御草稿本左訓に「きゆほろぶ」とある。○誦文……そらよみすること。御草稿本左訓に「そらにうかべよむをじゆといふ」とある。

**【出拠】** 第一首、第二首共に『金光明最勝王経』の「由リテ二此ノ経ノ威力ニ一」の文、同じく四巻の『金光明経』の「寿命損滅」の文に依る。

**【要義】** 第一首は、阿弥陀如来は我々を救うて、浄土に往生せしめたもうばかりでなく、我々をあわれみ化益して、わざわいを除き、いのちをのばして、国家と人民とを安穏ならしめんがために、わざわざ西方浄土よりこの世界にあらわれ『金光明経』の寿量品を説きのこされたことである。

第二首は、嵯峨天皇の御時に、天下にひでりがうちつづき、あるいは大雨大風があったり、病気がはやったり、戦争があったり、さまざまの災難が起って、国民が困難したことがあった。そこで天皇は比叡山の伝教大師を召されて、どうしたらこの災難を除きうるかとおたづねになったから、大師はすぐに七難消滅の法としては、南無阿弥陀仏を称えるにまされることなしとお答えなされたということである。

## 二、滅罪利益　二首

【本　文】【九八】
一切の功徳のすぐれたる　南無阿弥陀仏をとなふれば
三世の重鄣みなながら　かならず転じて軽微なり

【九九】
南無阿弥陀仏をとなふれば　この世の利益きはもなし
流転輪廻のつみきへて　定業中夭のぞこりぬ

【讃　意】第一首は、南無阿弥陀仏には、重障を転じて軽微ならしむる益のあることを示す。

第二首は、南無阿弥陀仏の力に依り、生死の罪を滅し、寿命を延ばす利益のあることを示す。

【語　釈】◎転じて軽微なり……転は転変の意、軽微は軽少微薄のこころで、御左訓に「かろくなし、すくなくなす、うすくなす」とある。◎定業中夭……今生受けるべき寿命の限りあること。中夭とは、中折れして死すること。

【出　拠】第一首、第二首は、『安楽集』（真聖全・一・四一九）に「或有二三昧一」の文と、『観念法門』（真聖全・一・六二七）に「言二滅罪増上縁一」の文に依る。

【要　義】第一首は、一切の功徳に勝れたる弥陀仏の名号を称念すれば、三世に造ったところの重障はみな消滅して、往生決定の大利益を得させていただくのである。
第二首は、このように弘願念仏の行者には現世の利益は限りなく、その中、殊に衆生が定命を完うしないで早逝するようなことはこれを除き去って下さるのである。

## 三、護持利益　十一首

### (一) 冥衆護持

【本文】

【一〇〇】
南無阿弥陀仏をとなふれば　梵王・帝釈帰敬す
諸天善神ことごとく　よるひるつねにまもるなり

【一〇一】
南無阿弥陀仏をとなふれば　四天大王もろともに
よるひるつねにまもりつゝ　よろづの悪鬼をちかづけず

【一〇二】
南無阿弥陀仏をとなふれば　堅牢地祇は尊敬す
かげとかたちのごとくにて　よるひるつねにまもるなり

【一〇三】
南無阿弥陀仏をとなふれば　難陀・跋難大龍等
無量の龍神尊敬し　よるひるつねにまもるなり

【一〇四】
南無阿弥陀仏をとなふれば　炎魔法王尊敬す

【一〇五】
五道の冥官みなともに　よるひるつねにまもるなり
南無阿弥陀仏をとなふれば　他化天の大魔王
釈迦牟尼仏のみまへにて　まもらんとこそちかひしか

【一〇六】
天神地祇はこと〴〵く　善鬼神となづけたり
これらの善神みなともに　念仏のひとをまもるなり

【一〇七】
願力不思議の信心は　大菩提心なりければ
天地にみてる悪鬼神　みなこと〴〵くおそるなり

**【讃意】**

第一首は、念仏行者は、梵王帝釈の帰敬を受け、諸天善神に守護せられることを讃ず。

第二首は、念仏の行者は、常に四天大王に守護せられることを讃ず。

第三首は、念仏の行者は堅牢地祇の尊敬を受けて、つねに影護されることを讃ず。

第四首は、念仏の行者は龍神の尊敬を受け、つねに守護せられることを讃ず。

第五首は、念仏の行者は、炎魔法王の尊敬を受け、昼夜不断に守護せられることを讃ず。

第六首は、他化天の魔王までもが、念仏の行者を守護せんと誓うていることを讃ず。

第七首は、念仏の行者は、一切の善神に守護せられることを讃ず。

第八首は、他力信心を得る者は、一切の悪神におそれられることを讃ず。

【語釈】◎堅牢地祇……堅牢地神(けんろうちじん)ともいう。天地をつかさどる神で、単に地神とも云う。○尊敬……とうとみ、うやまうこと。◎難陀跋難大龍等(なんだばちなんだいりゅうとう)……難陀と跋難(ばちなん)とは、八大龍王の中の二王で、難陀は兄、跋難は弟、等にはほかの六王を摂す。◎願力不思議の信心……願力の不思議によって起されたところの信心。即ち他力信心のこと。

【出拠】第一首より第八首までは、『観念法門』(真聖全・一・六二九)に抄出せる『般舟三昧経』の文「仏言(ハク)、若人専行(シ・ラ・ズレバ)」と、『金光明経』二、堅牢地神品の「地神堅牢」の文、『同経』の「釈提桓因」の文、また『観念法門』(真聖全・一・六二八)の「若有(シ・リ)レ人」の文。また『同』の「一心専念(ニ・ラ・ジ)」の文、また『化身土文類』御引用の『日蔵経』『月蔵経』等に依る。

【要義】この八首は、冥衆護持の益を挙げるのである。その中初めの六首は、別して数多い神祇を挙げてその守護を讃じ、後の二首は、総じて念仏の人を守ることを結示されるのである。一切の功徳に勝れたところの南無阿弥陀仏を称えるときは、梵天、帝釈、四天大王、堅牢地祇、難陀、跋難陀、炎魔王、及び他化自在天の神々が、念仏行者の身辺をはなれないで、昼夜不断にお護り下される。またこの念仏の行者に対しては、善神はよろこびまもり、悪神はおそれて逃げる。そればかりではなく、観音勢至は化菩薩を出だし、阿弥陀如来は化仏を出ださせられて、ともに行者をおまもりくだされ、そのほか十方世界のあらゆる仏たちが、百重千重とりかこんで、随逐影護して下さるのであるという意を讃じたもうたのである。

## (二) 諸聖護持

【本　文】

【一〇八】
南無阿弥陀仏をとなふれば　観音・勢至はもろともに
恒沙塵数の菩薩と　かげのごとくに身にそへり

【一〇九】
無㝵光仏のひかりには　無数の阿弥陀まし〱て
化仏おの〱こと〱く　真実信心をまもるなり

【一一〇】
南無阿弥陀仏をとなふれば　十方無量の諸仏は
百重千重囲繞して　よろこびまもりたまふなり

【讃　意】

第一首は、念仏の行者は、観音勢至等の菩薩に守護されることを讃ず。

第二首は、念仏の行者は、弥陀の化仏に護られることを讃ず。

第三首は、念仏の行者は、十方諸仏に護念せられることを讃ず。

【語　釈】◎化仏……光明の中に化現したもう仏。○真実信心……他力信心のこと。自力の信心に簡び、他力の信心を真実信心という。古来釈して、「真実に信ずる心」、「如来の真実なる誓願を信ずる心」、「如来の真実心を全領して、これを体とする信心」等と解してある。

【出　拠】第一首は、『観念法門』（真聖全・一・六二八）に『観経』第十二観の文を引いて「観音・大勢至」また、「観音・勢至」とある。上来の和讃は、他経の密意を開顕して、念仏の利益を示されたのであるが、以下の二首は『観経』に依る。他経は末、観経は本、即ち末を会して本に同じ、上来讃するところ、ただ本経所説の摂取不捨の義を、拡充助顕するのである。

【要　義】この三首は諸聖護持の益を挙げる。その中第一首は恒沙の菩薩、第二首は無数の化仏、第三首は十方諸仏の護持の益を示す。即ち第一首は、他力信心を得て念仏を称える者は、観音勢至はもろともに、かずかぎりもない恒沙塵数の菩薩方と、あたかも形に影のそうごとく、念仏行者の身に附き添い、護られるのである。

第二首は、無碍光仏の光明の中には、数限りない阿弥陀仏が化現したまいて、それら無数の化仏は各々悉く、真実信心を守護されるのである。

第三首は、真実信心の上から念仏を称えるものは、十方無量の諸仏方が、百重も千重も取り囲みめぐってわが本懐にかなえるものよと、喜んでお護りくだされるのである。

# 第七章　勢至讃　八首

## 一、念仏円通　三首

【本文】

【一一一】
勢至念仏円通して　五十二菩薩もろともに
すなはち座よりたゝしめて　仏足頂礼せしめつゝ

【一一二】
教主世尊にまふさしむ　往昔恒河沙劫に
仏世にいでたまへりき　無量光とまふしけり

【一一三】
十二の如来あひつぎて　十二劫をへたまへり
冣後の如来をなづけてぞ　超日月光とまふしける

【讃意】
第一首は、勢至菩薩が所得の法をお述べになるにあたり、まず釈尊を礼拝されることを讃ず。

第二首、第三首は、勢至菩薩の教えを禀けられたる仏名を挙げる。これらともに勢至菩薩が、仏に値うて教えをうけ、円通を証得された模様をのべられるのである。

【語釈】○仏足頂礼……釈尊の御足を自分の頭面につけて礼拝することで、印度の最敬礼。

【出拠】第一首は、『首楞厳経』の「大勢至」の文に依る。
第二首と、第三首は、『首楞厳経』の「白シテレ仏言ニク」の文、及び「十二如来」の文に依る。

【要義】勢至菩薩が念仏三昧によって円通したまえる縁由を示される。その中第一首は、礼仏の儀式を讃じ、第二首、第三首は、往昔の事を讃ず。『楞厳経』には、二十五人の聖者が、釈尊に対して各々円通をさとられた模様をのべられたことが説いてあるが、その第二十四人目の勢至菩薩は、念仏三昧によって円通をさとられたので、そのことを述べようと、まず同伴される五十二人の菩薩方と共に自分の座を起って、釈尊の前にひざまづいて、御足を頂きながら、下のごとく申しあげられた。勢至菩薩が、教主釈尊に申しあげられるには、昔、恒河沙劫以前に、仏が世に御出ましなされた、その仏を無量光と申しあげる。この仏を最初として、それから十二劫の間、一劫に一仏づつ相ついでお出ましになり、十二劫を経過した。その第十二劫目の最後の如来を超日月光と申しあげたが、勢至菩薩はその超日月光仏から念仏三昧を授かったということを讃ず。

## 二、念仏三昧　三首

【本　文】

【一一四】
超日月光この身には　念仏三昧おしへしむ
十方の如来は衆生を　一子のごとく憐念す

【一一五】
子の母をおもふがごとくにて　衆生仏を憶すれば
現前当来とをからず　如来を拝見うたがはず

【一一六】
染香人のその身には　香気あるがごとくなり
これをすなはちなづけてぞ　香光荘厳とまふすなる

【讃　意】第一首と第二首、勢至菩薩が超日月光仏より、念仏三昧をさづけられたこと、そしてまたその念仏三昧の相を讃ずるのである。

第三首は、念仏三昧の行者は、仏の智恵功徳を得ること、においの身に薫染するようなものであることを讃ず。

【語　釈】◎現前当来……現前とは現在目の前のこと。当来とは、未来浄土に生れてからのこと。◎香光荘厳……如来の智恵功徳の香を以て荘厳されること。念仏行者に名づける。

【出　拠】　第一首、第二首、第三首は共に、『首楞厳経』の「彼仏（超日月光仏）教ニ我念仏三昧ヲ一」の文。また、「如ニ母憶レ子ヲ一」の句。或いは、「如ニ染香人ノ一」の文。『北本涅槃経』十九の「視ルコトニ衆生ヲ一」。或は、『旧華厳』七の「念仏三昧ハ」の文等に依る。

【要　義】　第一首は、超日月光仏が勢至菩薩に念仏三昧を教えられたこと。これは真実信心を授けたまうのである。かくて十方の如来は皆衆生に信をすすめ、一子のごとくこれを憐みたもうのである。

第二首は、あたかも母が子を護持するが故に子はその慈悲の中に安住するが如く、仏が衆生を摂取したもうがゆえに、衆生これに安堵する。即ち衆生の安心は如来の悲心が徹底したのである。このように念仏三昧を得る者は、現世は摂取の光明中にあり、当来浄土において見仏の益を得る。

第三首は、超日月光仏の授けたもう念仏三昧は、これを修するところの者、常に仏の大悲のかんばしい香りがわが身にも薫ぜられるから、この人を香光荘厳となづけるのであると讃ずるのである。

## 三、二利報恩　二首

【本文】【一一七】われもと因地（いんぢ）にありしとき　念仏（ねむぶち）の心（しむ）をもちてこそ
無生忍（むしやうにん）にはいりしかば　いまこの娑婆界（しやばかい）にして

【一一八】念仏（ねむぶち）のひとを摂取（せふしゆ）して　浄土（じやうど）に帰（くゐ）せしむるなり
大勢至菩薩（だいせいしぼさち）の　大恩（だいおん）ふかく報（ほう）ずべし

【讃意】第一首は、勢至菩薩が念仏によってみづから無生忍に入り、また人をも化益して自利利他の徳を成就したもうことを讃ず。

第二首は、その大勢至菩薩の恩徳を報ずべきことを讃ず。

【語釈】◎因地……因の地位。即ち菩薩が最初発心せられたとき。

【出拠】第一首、第二首は、『首楞厳経』の「我本因地（レ我本因ト地ニ）」に依る。

【要義】勢至菩薩は、昔、念仏に依って証悟し、いままた有縁を教化したもう。今時一切衆生が念仏して浄土に生れるのは、勢至菩薩化導のたまものであるから、われわれはよろしく、その恩徳に報いるべきである。

## 四、結　示

已上大勢至菩薩

源空上人御本地也

已上大勢至菩薩とは、上来八首の和讃を結ぶ。

源空上人御本地也とは、大勢至の化身、即ち源空聖人で、宗祖が源空聖人より相承された念仏往生の法義は、大勢至菩薩が超日月光仏よりさづけられた念仏であることをあらわし、七祖相承のこころをあらわし、次の高僧和讃をひきおこされる。

なお、勢至菩薩が源空聖人の本地であることは、源空讃のところで示さる。

# 和讃要義（上）

――高僧和讃大意――

# 第一章　龍樹讃

## 一、造論化度　三首

【本　文】【一】本師龍樹菩薩は　　『智度』・『十住』・『毘婆娑』等
つくりておほく西をほめ　　すゝめて念仏せしめたり

【二】南天竺に比丘あらん　　龍樹菩薩となづくべし
有無の邪見を破すべしと　　世尊はかねてときたまふ

【三】本師龍樹菩薩は　　大乗無上の法をとき
歓喜地を証してぞ　　ひとへに念仏すゝめける

【讃　意】第一首は、龍樹菩薩の論をつくられるところは、西方往生をお勧めにあることを讃ず。

第二首は、龍樹菩薩のこの世へのお出ましは、『楞伽経』における釈尊の懸記を讃ず。

第三首は、釈尊の懸記にたがわず、龍樹菩薩のこの世にお出ましになって弥陀法をひろめ、念仏を勧められたことを讃ず。

## 二、略明論意　七首

### (一) 十住論意

【本　文】

【四】龍樹大士世(りうじゆだいじよ)にいでゝ　難行易行(なんぎやうゐぎやう)のみちおしへ
流転輪廻(るてんりんゑ)のわれらをば　弘誓(ぐせい)のふねにのせたまふ

【五】本師龍樹菩薩(ほんしりうじゆぼさら)の　おしへをつたへきかんひと
本願(ほんぐわん)こゝろにかけしめて　つねに弥陀(みだ)を称(しよう)(トナフベシトナリ)すべし

【六】不退(ふたい)のくらゐすみやかに　えんとおもはんひとはみな
恭敬(くぎやう)の心(しむ)に執持(しふぢ)(コヽロニトリタモツトイフ)して　弥陀(みだ)の名号称(みやうがうしよう)すべし

【七】生死(しやうじ)の苦海(くかい)ほとりなし　ひさしくしづめるわれらをば
弥陀弘誓(みだぐぜい)のふねのみぞ　のせてかならずわたしける

【讃　意】第一首は、『十住論』の主点である難易二道をあげ、龍樹が釈尊一代の仏教を、難行易行に分判せられたこころを讃ず。

第二首は、龍樹の本意であるところの易行の教えを承ける者は、まさに信心称名すべきを勧める。

第三首は、すみやかに疾く不退転地を得んとおもわば、弥陀の本願を信じて、名号を称ふべきことを讃ず。

第四首は、迷いの衆生を救うて、涅槃に至らしめる弥陀の本願のすぐれた益を讃ず。

## (二) 智度論意

【本文】

【八】『智度論』にのたまはく　如来は無上法皇なり
菩薩は法臣としたまひて　尊重すべきは世尊なり

【九】一切菩薩ののたまはく　われら因地にありしとき
無量劫をへめぐりて　万善諸行を修せしかど

【一〇】恩愛はなはだたちがたく　生死はなはだつきがたし
念仏三昧行じてぞ　罪障を滅し度脱せし

【讃意】第一首は、如来は菩薩に対して法皇と称せられ、この上ない徳を備えていられるから、ひとえに尊重敬礼し、奉るべきである。

第二首は、一切の菩薩が申されるには、自分達がまだ不退の位にのぼらない前に、幾度も幾度も生をかえ死を重ねて、諸善万行を修めて一切の煩悩を滅しようとつとめたことであったが、という意である。

第三首は、しかし、これらの自力修行の力では、貪欲の煩悩のなしわざからおこる情を絶ちきることができなかった。そして、この恩愛の情が生死輪転の業因を結ぶから、いつまで経ても迷いの世界を出ることができなかった。しかるに、善知識に遇うて、称名念仏は他の一切の修行力を超えたものであるから、わが計らいをすてて他力念仏に帰したため、ここにはじめて罪業の障りをのがれ、苦しい生死の海を渡りこえることができたのである。

# 第二章　天親讃　十首

## 一、造論本意　一首

【本　文】【一一】

釈迦の教法おほけれど　天親菩薩はねんごろに
煩悩成就のわれらには　弥陀の弘誓をすゝめしむ

【讃　意】天親菩薩は、釈迦一代の仏教の中で、特に弥陀本願を弘通して、我等凡夫に勧められたことを讃ず。

## 二、論文の所明　九首

### (一)　三種荘厳(国土無辺)

【本　文】【一二】

安養浄土の荘厳は　唯仏与仏の知見なり
究竟せること虚空にして　広大にして辺際なし（ホトリヤハナシトナリ）

【一三】

本願力にあひぬれば　むなしくすぐるひとぞなき

【一四】
功徳の宝海みち〳〵て　煩悩の濁水へだてなし
如来浄華の聖衆は　正覚のはなより化生して
衆生の願楽こと〴〵く　すみやかにとく満足す

【一五】
天人不動の聖衆は　弘誓の智海より生ず
心業の功徳清浄にて　虚空のごとく差別なし

**【讃意】**

第一首は、弥陀浄土の荘厳は、唯仏知見であって、我等凡夫の知りうるところではない。且つ広大にして辺際なく、あたかも虚空の如くなることを讃ず。

第二首は、如来の本願力を信受すれば、我等の煩悩も名号の功徳に同化せられて、往生成仏にさまたげないことを讃ず。

第三首は、浄土に往生する者は、正覚華より化生して、一切ののぞみ、すみやかに満足することを讃ず。

第四首は、浄土の聖衆は弥陀の本願力より生じたのであるから、そのさとり平等一味にして、心中に恩怨のわけへだてなく、あまねく衆生を済度する徳のあることを讃ず。

【本　文】

## (二) 往生因果

【一六】
天親論主は一心に　無导光に帰命す
本願力に乗ずれば　報土にいたるとのべたまふ

【一七】
尽十方の無导光仏　一心に帰命するをこそ
天親論主のみことには　願作仏心とのべたまへ

【一八】
願作仏の心はこれ　度衆生のこゝろなり
度衆生の心はこれ　利他真実の信心なり

【一九】
信心すなはち一心なり　一心すなはち金剛心
金剛心は菩提心　この心すなはち他力なり

【二〇】
願土にいたればすみやかに　無上涅槃を証してぞ
すなはち大悲をおこすなり　これを廻向となづけたり

【讃　意】　第一首は、『浄土論』のおこころに依り、天親論主は他力の一心を宣布し、以て報土の往生をすすめられることを讃ず。

第二首は、一心帰命を願作仏心と名づけることを讃ず。

第三首は、願作仏心はこれ度衆生心であり、自利利他具足の心、即ち如来廻向の真実信心であることを讃ず。

第四首は、第三首の利他真実の信心とあるを承けて、広く、信心・一心・金剛心・菩提心等の諸名を会釈して、ついに他力に結帰されるのである。

第五首は、浄土に往生すれば、無上の仏果を受けるとともに、衆生救済の大慈悲をおこし、自利利他満足することを讃ず。

# 第三章　曇鸞讃　三十四首

## 一、師徳讃嘆（偏帰西方）　十首

【本文】

【二一】
本師曇鸞和尚は　菩提流支のおしへにて
仙経ながくやきすてゝ　浄土にふかく帰せしめき

【二二】
四論の講説さしおきて　本願他力をときたまひ
具縛の凡衆をみちびきて　涅槃のかどにぞいらしめし

【二三】
世俗の君子幸臨し　勅して浄土のゆへをとふ
十方仏国浄土なり　なにゝよりてか西にある

【二四】
鸞師こたへてのたまはく　わが身は智慧あさくして
いまだ地位にいらざれば（フタイノクラヰニイタラズトナリ）　念力ひとしくおよばれず

【二五】
一切道俗もろともに　帰すべきところぞさらになき
安楽勧帰のこゝろざし　鸞師ひとりさだめたり

【二六】　魏の主勅して幷州の　大巌寺にぞおはしける
やうやくおはりにのぞみては　汾州にうつりたまひにき

【二七】　魏の天子はたふとみて　神鸞とこそ号せしか
おはせしところのその名をば　鸞公巌とぞなづけたる

【二八】　浄業さかりにすゝめつゝ　玄忠寺にぞおはしける
魏の興和四年に　遙山寺にこそうつりしか

【二九】　六十有七ときいたり　浄土の往生とげたまふ
そのとき霊瑞不思議にて　一切道俗帰敬しき

【三〇】　君子ひとへにおもくして　勅宣くだしてたちまちに
汾州汾西秦陵の　勝地に霊廟たてたまふ

【讃　意】

第一首は、曇鸞大師が、長生不死の仙経を焚きすてて、浄土往生の教えに帰入された事跡を讃ず。

第二首は、鸞師一たび浄土の教えに帰せらるるや、その本宗である四論の講説をやめ、専ら浄土の法門を説いて、凡衆を化導されたことを讃ず。

第三首は、鸞師の西方願生に対する、国王の勅問を挙げる。

第四首は、国王の勅問に対し、鸞師は念力およびがたければ、西方願生の外ないことを答えられる。

第五首は、世難紛紛として、道俗はその帰趣に迷うていたところに、鸞師ひとり自行化他、ともに西方願生の志をさだめられたことを述べる。

第六首は、国王の崇敬が篤く、勅命を以て鸞師居住の所を定められることを讃ず。

第七首は、国王の鸞師を崇敬したまうことの厚いことを述べ、以て時人の帰仰いかに盛んであるかをしらしむる。

第八首は、入滅以前に居を移されたことを述べ、臨終の処を示す。

第九首は、御入滅の時に不思議の霊瑞あらわれたことを讃ず。

第十首は、鸞師の滅後、国王その徳を敬仰し、霊廟を建てたまいしことを讃ず。

## 二、註論勲功（他力心行）　一首

【本文】【三一】天親菩薩のみことをも　鸞師ときのべたまはずば
他力広大威徳の　心行いかでかさとらまし

【讃意】天親の『浄土論』はあっても、鸞師『論註』を造り、これを註釈されなかったならば、他力の至極はあらわれなかったであろうとの意を讃ず。

## 三、本願勝徳（円頓一乗）　二首

【本文】【三二】　本願円頓一乗は　逆悪摂すと信知して
煩悩・菩提体無二と　すみやかにとくさとらしむ

【三三】　いつゝの不思議をとくなかに　仏法不思議にしくぞなき
仏法不思議といふことは　弥陀の弘誓になづけたり

【讃意】　第一首は、『論註』一部の綱領である他力本願の教益を讃ず。
第二首は、世に不思議ということは数多けれど、弥陀の本願に過ぎたる不思議はないことを讃ず。

## 四、二種廻向　三首

【本文】【三四】　弥陀の廻向成就して　往相還相ふたつなり
これらの廻向によりてこそ　心行ともにえしむなれ

【三五】　往相の廻向ととくことは　弥陀の方便ときいたり

【三六】

悲願の信行えしむれば　生死すなはち涅槃なり
還相の廻向ととくことは　利他教化の果をえしめ
すなはち諸有に廻入して　普賢の徳を修するなり

【讃　意】第一首は、弥陀の成就なされた往・還二種の廻向により、衆生往生の要である心行を得ることを讃ず。

第二首は、往相廻向は仏力によって心行を獲得し、生死即涅槃の仏果を証することであるを讃ず。

第三首は、還相廻向は、利他教化の果上におこるところの悲用であることを讃ず。

## 五、一心釈顕　一首

【本　文】【三七】

論主の一心ととけるをば　曇鸞大師のみことには
煩悩成就のわれらが　他力の信とのべたまふ

【讃　意】天親論主帰命の一心は、下品の劣機に共ずるところの他力廻向の信心であることを示して、以て鸞師註釈の功を讃ずる。

# 六、無礙仏徳　五首

【本　文】

【三八】　尽十方の無㝵光は　無明のやみをてらしつゝ
一念歓喜するひとを　かならず滅度にいたらしむ

【三九】　無㝵光の利益より　威徳広大の信をえて
かならず煩悩のこほりとけ　すなはち菩提のみづとなる

【四〇】　罪鄣功徳の躰となる　こほりとみづのごとくにて
こほりおほきにみづおほし　さはりおほきに徳おほし

【四一】　名号不思議の海水は　逆謗の屍骸もとゞまらず
衆悪の万川帰しぬれば　功徳のうしほに一味なり

【四二】　尽十方無㝵光の　大悲大願の海水に
煩悩の衆流帰しぬれば　智慧のうしほに一味なり

【讃　意】　第一首は、阿弥陀如来の尽十方無礙光は、衆生往生の因である一念歓喜の信心を成じ、往生の極果である滅度に至らしむる徳のあることを示す。

第二首は、無礙光の益により、惑を融じて智を成ずることを讃ず。

第三首は、無礙光の益により、罪障のまま功徳となり、円融無礙なることを讃ず。

第四首は、阿弥陀仏の名号は、衆悪を転じて功徳に一味ならしむる徳のあることを讃ず。

第五首は、阿弥陀仏の大願は、煩悩を転じて智恵に一味ならしむる徳のあることを讃ず。

## 七、一乗勝益　四首

【本文】

【四三】
安楽仏国に生ずるは　畢竟成仏の道路にて
無上の方便なりければ　諸仏浄土をすゝめけり

【四四】
諸仏三業荘厳して　畢竟平等なることは
衆生虚誑の身口意を　治せんがためとのべたまふ

【四五】
安楽仏国にいたるには　無上宝珠の名号と
真実信心ひとつにて　無別道故とときたまふ

【四六】
如来清浄本願の　無生の生なりければ
本則三三の品なれど　一二もかはることぞなき

【讃　意】第一首は、阿弥陀仏の浄土に往生するのは、この上もない成仏の道であることを讃じて、本願・一乗の相を知らしめられる。

第二首は、阿弥陀如来が衆生に代って、身口意の三業を荘厳し、功徳を成就せられたことを讃ず。

第三首は、安楽仏国に往生するのは、無上宝珠の名号を信受する真実信心の外に別道はない。ただその一因なることを讃ず。

第四首は、浄土に往生したものは、ことごとく同一平等の仏果を証することを讃ず。

## 八、如実修行　六首

### （一）光号破満（破闇満願）

【本　文】【四七】

無导光如来の名号と　かの光明智相とは
無明長夜の闇を破し　衆生の志願をみてたまふ

【讃　意】如実修行とは、光明名号の実にかなうて修行する意であるから、まず破闇満願の利益を挙げて、所行の実義を讃ず。

## （二）三不信心

【本文】

【四八】
不如実修行（オシヘノゴトクナラストイフコヽロナリ）といへること
鸞師釈してのたまはく
一者信心あつからず
若存若亡（アルトキハサモトオモフアルトキハカナフマジトオモフナリ）するゆへに

【四九】
二者信心一ならず
決定なきゆへなれば
三者信心相続（アヒツガズ）せず
余念間故（マジヘルガユヘニシンナシトイフナリ）とのべたまふ

【讃意】 第一首、第二首ともに、三種の不信心を挙げ、不如実修行の相を示す。

## （三）展転相成

【本文】

【五〇】
三信展転相成（アヒジヤウズルナリ）す
行者こゝろをとゞむべし
信心あつからざるゆへに
決定の信なかりけり

【五一】
決定の信なきゆへに
念相続せざるなり
念相続せざるゆへ
決定の信をえざるなり

【五二】
決定の信をえざるゆへ
信心不淳（シンジムアツカラズトイフナリ）とのべたまふ
如実修行相応（オシヘノゴトクシンズルコヽロナリ）は
信心ひとつにさだめたり

【讃意】 第一首、第二首、第三首をまとめて言えば、三信の互いに関聯してはなれることのないことを示し、如実修行の根本義はただ信心の一つに存することを讃ず。

## 九、帰入本願　一首

【本文】【五三】
万行諸善の小路より　本願一実の大道に
帰入しぬれば涅槃の　さとりはすなはちひらくなり

【讃意】自力の万行諸善を捨てて、他力本願に帰し、すみやかに仏果涅槃をさとるべきを勧む。

## 十、寄事結嘆　一首

【本文】【五四】
本師曇鸞大師をば　梁の天子蕭王は
おはせしかたにつねにむき　鸞菩薩とぞ礼しける

【讃意】国王がつねに鸞師を敬礼せられたことを述べ、このような高徳のお方であるから、その教えを信ずべきことを勧める。

# 第四章　道綽讃　七首

## 一、二門廃立　二首

【本文】【五五】

本師道綽禅師は　聖道万行さしおきて
唯有浄土一門を　通入すべきみちととく

【五六】

本師道綽大師は　涅槃の広業さしおきて
本願他力をたのみつゝ　五濁の群生すゝめしむ

【讃意】

第一首は、禅師が聖道・浄土の二門を分けて、末代の凡夫が仏果を開くべき道は、ただ浄土一門にありと教えられたことを讃ず。

第二首は、禅師が涅槃宗をすてて、弥陀の本願に帰し、一生の間、その弘通につとめられたことを讃ず。

# 二、廃立所由　五首

## (一) 廃聖所由

【本　文】【五七】

末法五濁の衆生は　聖道の修行せしむとも
ひとりも証をえじとこそ　教主世尊はときたまへ

【五八】

鸞師のおしへをうけつたへ　綽和尚はもろともに
在此起心立行は　此是自力とさだめたり

【讃　意】第一首は、仏説を挙げて、聖道自力の修行により、仏果の証しがたいことを讃ず。

第二首は、道綽禅師は、曇鸞大師の教えによって、自力の性質を明らかに弁定せられたことを讃ず。

## (二) 立浄所由（称我名字）

【本　文】【五九】

濁世の起悪造罪は　暴風駛雨にことならず
諸仏これらをあはれみて　すゝめて浄土に帰せしめり

【六〇】

一形悪をつくれども　専精にこゝろをかけしめて

【六一】

つねに念仏(ねむぶち)せしむれば　諸鄣自念(しよしやうじねん)にのぞこりぬ

縦令一生造悪(じゆりやうゐちしやうざうあく)の　衆生引接(しゆじやういんぜふ)のためにとて

（タトヒ一ゴアクヲツクルモノナリトモミダノチカヒヲタノミマヒラセテワウジヤウスベシトナリ）

称我名字(しようがみやうじ)と願(ぐわん)じつゝ　若不生者(にやくふしやうじや)とちかひたり

（ワガナヲトナヘヨトグワンジタマヘリ）（モシムマレズバホトケニナラジトチカヒタマヘルナリ）

**【讃　意】**　第一首は、諸仏の大悲、衆生をあわれみて、浄土往生をすすめて下さることを讃ず。

第二首は、専心念仏すれば、よく一切の罪障を消滅せしむることを讃ず。

第三首は、弥陀の誓願の正意は、悪機を摂取するがためなることを讃ず。

# 第五章　善導讃　二十六首

## 一、師徳讃嘆　二首

【本文】【六二】
大心海より化してこそ　善導和尚とおはしけれ
末代濁世のためにとて　十方諸仏に証をこふ

【六三】
世世に善導いでたまひ　法照・少康としめしつゝ
功徳蔵をひらきてぞ　諸仏の本意とげたまふ

【讃意】第一首は大師の本地は阿弥陀如来であって、衆生済度のため、この世にお出ましになったことを讃ず。

第二首は、大師の滅後、さらに迹を垂れて、浄土教を弘通せられたことを讃ず。

## 二、所被分斉　一首

【本文】【六四】
弥陀の名願によらざれば　百千万劫すぐれども

いつゝのさはりはなれねば　女身をいかでか転ずべき

【讃意】女人は障り重くして成仏の道なく、ただ弥陀の本願によって救われるべきことを述べ、弘願真宗の正所被は、このような障重の機にあることをしらしむるのである。

## 三、釈迦教意　四首

### (一)要門開意(正雑二行)

【本文】【六五】

釈迦は要門ひらきつゝ　定散諸機をこしらへて

正・雑二行方便し　ひとへに専修をすゝめしむ

【讃意】釈尊が『観経』の上において、自力定散の人々に対して、正雑二行の要門を開設し、弘願専修に帰入せしめられることを讃ず。

### (二)要門修相(専雑二修)

【本文】【六六】

助正ならべて修するをば　すなはち雑修となづけたり

一心をえざるひとなれば　仏恩報ずるこゝろなし

【六七】

仏号むねと修すれども　現世をいのる行者をば

これも雑修となづけてぞ　千中無一ときらはるゝ

【六八】　こゝろはひとつにあらねども　雑行・雑修これにたり
浄土の行にあらぬをば　ひとへに雑行となづけたり

【讃　意】　第一首は五正行中、助正を分つことの正意を知らず、五正行をならべ修して往生の業とする。助正兼行の雑修をここで述べる。

第二首は、専ら仏号を修するが、現世の幸福を仏に向って祈る者は、雑修の部類に属し、往生を得られないことを述べる。

第三首は、雑行雑修の同異を示して、雑行の性質を説明する。

## 四、善導釈意（二河譬喩）　一首

【本　文】　【六九】　善導大師証をこひ　定散二心をひるがへし
貪瞋二河の譬喩をとき　弘願の信心守護せしむ

【讃　意】　善導大師が諸仏の証明を請い、『観経』を釈されたのは、定散要門を廃して弘願を立てるにあることを讃ず。

## 五、弥陀教意　四首

【本　文】

【七〇】
経道滅尽ときいたり　如来出世の本意なる
弘願真宗にあひぬれば　凡夫念じてさとるなり

【七一】
仏法力の不思議には　諸邪業繋さはらねば
弥陀の本弘誓願を　増上縁となづけたり

【七二】
願力成就の報土には　自力の心行いたらねば
大小聖人みなながら　如来の弘誓に乗ずなり

【七三】
煩悩具足と信知して　本願力に乗ずれば
すなはち穢身すてはてて　法性常楽証せしむ

【讃　意】

第一首は、他の教法は滅するとも、弘願他力の法のみは、永遠にその利益をあらわすものであることを讃ず。

第二首は、弥陀の本願は、煩悩悪業に障えられず、衆生のために増上縁となることを讃ず。

第三首は、弥陀の浄土には、大小乗の聖人も、ことごとく仏願力に乗託して往生されるのであって、いかなる者も自力では往生されないことを讃ず。

第四首は、願力に乗ずる心相をあげて、すみやかに往生成仏の妙果を証することを讃ず。

## 六、二尊善巧　一首

【本文】【七四】

釈迦・弥陀は慈悲の父母　種種に善巧方便し
われらが無上の信心を　発起せしめたまひけり

【讃意】釈迦弥陀二尊の慈悲によって、信心を発起することを讃ず。

## 七、信心徳益　八首

### (一)　懺悔得脱

【本文】【七五】

真心徹到するひとは　金剛心なりければ
三品の懺悔するひとゝ　ひとしと宗師はのたまへり

【七六】

五濁悪世のわれらこそ　金剛の信心ばかりにて
ながく生死をすてはてゝ　自然の浄土にいたるなれ

【七七】
金剛堅固の信心の　さだまるときをまちえてぞ
弥陀の心光摂護して　ながく生死をへだてける

【讃　意】第一首は、他力信心の行者は、かの自力の三品の懺悔をするものと、同じ徳のあることを讃ず。

第二首は、五濁悪世の我等は、ただ他力信心ばかりにて、生死の迷いを離れ、浄土に往生するということを讃ず。

第三首は、信心のさだまるとき、弥陀の心光に摂護せらるる益のあることを讃ず。

## (二) 本願相応

【本　文】【七八】
真実信心えざるをば　一心かけぬとおしへたり
一心かけたるひとはみな　三信具せずとおもふべし

【七九】
利他の信楽うるひとは　願に相応するゆへに
教と仏語にしたがへば　外の雑縁さらになし

【八〇】
真宗念仏きゝえつゝ　一念無疑なるをこそ
希有最勝人とほめ　正念をうとはさだめたれ

【八一】
本願相応せざるゆへ　雑縁きたりみだるなり

信心乱失するをこそ　正念うすとはのべたまへ

【讃　意】　第一首は、真実信心を得ざるによって、三信を具しないことを示し、以て金剛の信心を獲得せる行者は、三信まどかに具して欠ぐることなきを知らしむる。

第二首は、他力信心には外の雑縁交わらないことを示す。

第三首は、一念無疑なるを以て、正念を得る相であると知らしむ。

第四首は、弥陀の本願を信じないものは、雑縁のために乱され、正念を失うことを讃ず。

### (三)　証果自然

【本　文】　【八二】
信は願より生ずれば　念仏成仏自然なり
自然はすなはち報土なり　証大涅槃うたがはず

【讃　意】　願力廻向の信心は、自然に仏果を証せしむる益のあることを讃ず。

## 八、疑謗損失　三首

【本　文】　【八三】
五濁増のときいたり　疑謗のともがらおほくして
道俗ともにあひきらひ　修するをみてはあだをなす

【八四】
本願毀滅のともがらは　生盲闡提となづけたり
大地微塵劫をへて　ながく三塗にしづむなり

【八五】
西路を指授せしかども　自障・障他せしほどに
曠劫已来もいたづらに　むなしくこそはすぎにけれ

【讃意】　第一首は、末法の時に至って、念仏を疑いそしるもの、ますます増加することを述べる。

第二首は、弥陀の本願を疑謗する者は、未来ながく三塗に沈むことを述べる。

第三首は、弥陀の本願を疑謗する過失により、過去久遠劫より、空しく流転せしことを述べる。

## 九、念報二尊　二首

【本文】　【八六】
弘誓のちからをかふらずば　いづれのときにか娑婆をいでん
仏恩ふかくおもひつゝ　つねに弥陀を念ずべし

【八七】
娑婆永劫の苦をすてゝ　浄土無為を期すること
本師釈迦のちからなり　長時に慈恩を報ずべし

【讃　意】

第一首は、弥陀招喚の恩を念報すべきことを讃ず。
第二首は、釈迦発遣の恩を念報すべきを勧む。

# 第六章　源信讃　十首

## 一、師徳讃嘆　二首

【本文】【八八】源信和尚ののたまはく　われこれ故仏とあらはれて
化縁すでにつきぬれば　本土にかへるとしめしけり

【八九】本師源信ねんごろに　一代仏教のそのなかに
念仏一門ひらきてぞ　濁世末代おしへける

【讃意】第一首は、源信和尚は浄土より還来せられた聖者であることを讃ず。

第二首は、源信和尚が『往生要集』を造って一代仏教中、特に念仏往生の一門を開き、末代の衆生を教えられることを讃ず。

## 二、専雑対説　四首

【本文】【九〇】霊山聴衆とおはしける　源信僧都のおしへには

報化二土をおしへてぞ　専雑の得失さだめたる

【九一】本師源信和尚は　懐感禅師の釈により
『処胎経』をひらきてぞ　懈慢界をばあらはせる

【九二】専修のひとをほむるには　千無一失とおしへたり
雑修のひとをきらふには　万不一生とのべたまふ

【九三】報の浄土の往生は　おほからずとぞあらはせる
化土にむまるゝ衆生をば　すくなからずとおしへたり

【讃意】第一首は、総じて二土二修を明かし、報化の判釈をなされたことを讃ず。

第二首は、『処胎経』に説かれている懈慢界は、弥陀浄土中の化土であることをあらわす。

第三首は、専修は千無一失、雑修は万不一生、往生の得失のあることを讃ず。

第四首は、報土往生者が少くて、化土往生者の多いことを歎じ、そして専修を勧む。

# 三、偏勧専修　四首

**【本　文】**

【九四】男女貴賤(なむによくゐせん)ことごとく　弥陀(みだ)の名号称(みやうがうしよう)(トナフルナリ)するに
行住座臥(ぎやうぢゆざぐわ)(アルクトドマルヰルフスナリ)もえらばれず　時処諸縁(じしよしよゑん)(トキトコロヨロヅノコトナリ)もさはりなし

【九五】煩悩(ぼむなう)にまなこさへられて　摂取(せふしゆ)の光明(くわうみやう)みざれども
大悲(だいひ)ものうきことなくて　つねにわが身(み)をてらすなり

【九六】弥陀(みだ)の報土(ほうど)をねがふひと　外儀(ぐゑぎ)のすがたはことなりと
本願名号信受(ほんぐわんみやうがうしんじゆ)して　寤寐(ごび)(ネテモサメテモトイフナリ)にわするゝことなかれ

【九七】極悪深重(ごくあくじむぢう)の衆生(しゆじやう)は　他(た)の方便(はうべん)さらになし
ひとへに弥陀(みだ)を称(しよう)してぞ　浄土(じやうど)にむまるとのべたまふ

**【讃　意】**

第一首は、専修念仏の修しやすきことを示す。
第二首は、専修念仏の行者は、つねに光明に摂取せられる利益のあることを讃ず。
第三首は、信心領受の上、念に相続して忘れることなかれと勧む。
第四首は、極悪深重の衆生は、念仏の外、浄土に生れる道のないことを讃ず。

# 第七章 源空讃 二十首

## 一、開宗功勲 四首

【本文】

【九八】
本師源空世にいでゝ　弘願の一乗ひろめつゝ
日本一州こと〴〵く　浄土の機縁あらはれぬ

【九九】
智慧光のちからより　本師源空あらはれて
浄土真宗をひらきつゝ　選択本願のべたまふ

【一〇〇】
善導・源信すゝむとも　本師源空ひろめずば
片州濁世のともがらは　いかでか真宗をさとらまし

【一〇一】
曠劫多生のあひだにも　出離の強縁しらざりき
本師源空いまさずば　このたびむなしくすぎなまし

【讃意】 第一首は、源空出世して、弥陀の本願を弘められしにより、浄土真宗がわが日本に開かれることになったことを讃ず。

第二首は、大勢至菩薩が迹を垂れて源空上人となり、浄土真宗を開かれたことを讃ず。

第三首は、わが日本にあって、浄土真宗の教えを明らかにすることのできたのは、ひとえに源空上人の恩徳であると讃ず。

第四首は、上人に値遇して、出離の強縁を知り得た喜びを述べ、開宗の恩徳を讃ず。

## 二、平生偉徳　六首

**【本　文】**

【一〇二】源空（ぐゑんく）三五（さむご）のよはひにて　無常（むじやう）のことはりさとりつゝ
厭離（えんり）〔ヨヲイトフナリ〕の素懐（そくわい）〔モトノコヽロトイフ〕をあらはして　菩提（ぼだい）のみちにぞいらしめし

【一〇三】源空（ぐゑんく）智行（ちぎやう）〔チエモギヤウモイタリマフヒトナリトイフ〕の至徳（しとく）には　聖道諸宗（しやうだうしよしゆ）の師主（ししゆ）〔シヤウニンノオンシナリ〕も
みなもろともに帰（くゐ）せしめて　一心金剛（ゐちしむこむがう）の戒師（かいし）〔シヨシユノオンシノシヤウニンノオンデシニミナナリタマフ〕とす

【一〇四】源空（ぐゑんく）存在（そんざい）せしときに　金色（こむじき）の光明（くわうみやう）はなたしむ
禅定博陸（ぜんぢやうはくりく）〔クワンパクナリ〕まのあたり　拝見（はいけん）せしめたまひけり

【一〇五】本師（ほんし）源空（ぐゑんく）の本地（ほんぢ）をば　世俗（せぞく）のひと〴〵あひつたへ

綽和尚（しやくくわしやう）と称（しよう）せしめ　あるひは善導（ぜんだう）としめしけり

【一〇六】

源空勢至（ぐゑんくせいし）と示現（じげん）し（シメシアラハシタマフ）　あるひは弥陀（みだ）と顕現（けんげん）す（アラハレタマフ）

上皇（じやうくわう）群臣（ぐんしん）尊敬（そんきやう）し（コクワウナリ ダイジムクギヤウナリ）　京夷庶民（きやうゐしよみん）欽仰（きむがう）す（ミヤコヰナカヨロヅノタミウヤヒアフギタテマツル）

【一〇七】

承久（しようきう）の太上法皇（だいじやうほふわう）は　本師源空（ほんしぐゑんくう）を帰敬（くゐきやう）しき

釈門儒林（しやくもんじゆりむ）みなともに（ソウナリ ゾクガクシヤウナリ）　ひとしく真宗（しんしゆ）に悟入（ごにふ）せり（サトリイルナリ）

【讃　意】

第一首は、幼年にしてはやくも厭離の心を発されたことを讃ず。

第二首は、上人智行の徳高く、聖道の諸師もともに戒師と仰がれたことを讃ず。

第三首は、源空上人は光明を放たれて、兼実公は親しく拝見されたことを讃ず。

第四首は、世俗の人々、源空上人の本地を伝称したことを讃ず。

第五首は、世俗の人々が聖人の本地を伝称したのみではなく、上人みづから本地をあらわされたことを讃ず。

第六首は、上下僧俗ひとしく、真宗に悟入したことを挙げて、上人のお徳の広大なことを讃ず。

## 三、教化要旨　二首

【本文】【一〇八】
諸仏方便ときいたり　源空ひじりとしめしつゝ
無上の信心おしへてぞ　涅槃のかどをばひらきける

【一〇九】
真の知識にあふことは　かたきがなかになをかたし
流転輪廻のきはなきは　疑情のさはりにしくぞなき

【讃意】　第一首は、源空上人浄土よりあらわれ、涅槃の真因唯信心にあることを教えられたことを讃ず。

第二首は、真の善知識に遇うことは難く、本願を疑うゆえに生死に流転することを讃ず。

## 四、臨末霊異　八首

【本文】【一一〇】
源空光明はなたしめ　門徒につねにみせしめき
賢哲・凡夫もえらばれず　豪貴・鄙賤もへだてなし

【一一一】
命終その期ちかづきて　本師源空のたまはく

【一一二】
往生みたびになりぬるに　このたびことにとげやすし
源空みづからのたまはく　霊山会上にありしとき
声聞僧にまじはりて　頭陀を行じて化度せしむ

【一一三】
粟散片州に誕生して　念仏宗をひろめしむ
衆生化度のためにとて　この土にたび〳〵きたらしむ

【一一四】
阿弥陀如来化してこそ　本師源空としめしけれ
化縁すでにつきぬれば　浄土にかへりたまひにき

【一一五】
本師源空のおはりには　光明紫雲のごとくなり
音楽哀婉雅亮にて　異香みぎりに暎芳す

【一一六】
道俗男女預参し　卿上・雲客群集す
頭北面西右脇にて　如来涅槃の儀をまもる

【一一七】
本師源空命終時　建暦第二壬申歳
初春下旬第五日　浄土に還帰せしめけり

【讃意】　第一首は、源空光明を放ち、門徒をして等しく見せしめたもうたことを讃ず。

第二首は、上人臨終にあって門弟に対し、本懐既に満足したれば、この度の往生は殊に遂げやすしと告げられたことを讃ず。

第三首は、源空上人印度にあらわれたまい、釈尊説法の会上（えじょう）につらなられたことを讃ず。

第四首は、源空上人は日本にお出ましになり、念仏宗をひろめ、衆生を教化なされたことを讃ず。

第五首は、たびたびこの世に来現なされた上人は、弥陀の化身であって、いま本国にかえりたもうたことを讃ず。

第六首は、源空上人のご臨終に、光明、音楽、異香の勝相があらわれたことを讃ず。

第七首は臨終にさきだって、人々群集し、上人は如来涅槃の儀式を示したもうたことを讃ず。

第八首は、建暦二年正月二十五日、上人御往生になったことを讃ず。

# 第八章 結示

## 一、七祖一致 一首

【本文】【一一八】

五濁悪世の衆生の　選択本願信ずれば
不可称不可説不可思議の　功徳は行者の身にみてり

天竺　龍樹菩薩　天親菩薩
震旦　曇鸞和尚　道綽禅師　善導禅師
和朝　源信和尚　源空聖人
已上七人

聖徳太子　敏達天皇元年正月一日誕生
当ニ仏滅後一千五百二十一年ニ也

【讃意】濁悪の衆生本願を信受すれば、すみやかに無量の功徳を満足す。七祖の教化即ちこの選択本願を弘通するにあることを知らせたもう。

## 二、廻向衆生 一首

【本　文】【一一九】　南無阿弥陀仏をとけるには　衆善海水のごとくなり
かの清浄の善身にえたり　ひとしく衆生に廻向せん

【讃　意】名号の功徳を全領する者は、おのづから他の衆生にこれを廻向し、自信教人信の徳のあることを讃ず。

——和讃要義(上)——

一九八〇年四月一日 第一刷発行
二〇一六年三月一日 第十一刷発行

編集 中央仏教学院

発行 本願寺出版社
〒六〇〇—八五〇一
京都市下京区堀川通花屋町下ル
浄土真宗本願寺派
電話 (〇七五)三七一—四一七一
FAX (〇七五)三四一—七七五三

印刷 株式会社図書印刷同朋舎


BD8-SH11-① 30-61
ISBN978-4-89416-442-0 C3015 ¥1200E